СОЦИАЛЬНО-АНАЛИТИЧЕСКАЯ ГАЗЕТА
АРГУМЕНТЫ НЕДЕЛИ
www.argumenti.ru

УДК 398.23(=411.16)
ББК 82.3(0=Евр)-6
Ш 11

Шпиндэль, Мойша
Ш 11 ТАКИ ЕВРЭЙСКИЙ АНЕКДОТ/ Сост. Мойша Борисович Шпиндэль. – М.: ЗАО «СВР Медиапроекты», 2014. – 480 с.

ISBN 978-5-905667-14-5

Еврейские анекдоты – это для тех, у кого все в порядке с юмором. Еврейские анекдоты относительны – и в этом их талант. А евреи с их относительностью оказались весьма живучи, и эта живучесть вполне отразилась в замечательном устном фольклоре, гордо носящем имя ЕВРЕЙСКИЙ АНЕКДОТ.

Предлагаем подборку самых смешных, самых остроумных и самых веселых еврейских анекдотов. Книга содержит обширный материал еврейского юмора и остроумия, почерпнутый из фольклора (анекдоты, пословицы, поговорки) и других литературных жанров.

ISBN 978-5-905667-14-5

18+

Мойша Шпиндэль

Таки еврЭйский анекдот

– Абрам, ты чего такой расстроенный?
– К зубному ходил, зубы рвал...
– Ой, бедняжка. И сколько же он вырвал?
– Триста баксов!

Звонок в дверь к евреям.
– Здравствуйте, тетя Сара, а Боря дома?
– Боря занят, он кушает – может, и ты хочешь покушать?
– Ну я, конечно, не против...
– Ну так сходи домой покушай!

– Рабинович, за вами рубль!
– Где?!
– Я имею в виду, что вы должны мне рубль.
– Тогда возьмите тот, что за мной!

Звонит еврей в милицию:
– Алло, милиция! У меня дома происходят массовые беспорядки!
– А что у вас случилось?
– Понимаете, моя Сарочка разбушевалась!
– Так какие же это массовые беспорядки?
– О, вы не знаете, какая у нее масса...

– Абрам, ты чего такой расстроенный?
– К зубному ходил, зубы рвал...
– Ой, бедняжка. И сколько же он вырвал?
– Триста баксов!

♦

Звонок в дверь к евреям.
– Здравствуйте, тетя Сара, а Боря дома?
– Боря занят, он кушает – может, и ты хочешь покушать?
– Ну я, конечно, не против...
– Ну так сходи домой покушай!

♦

– Рабинович, за вами рубль!
– Где?!
– Я имею в виду, что вы должны мне рубль.
– Тогда возьмите тот, что за мной!

♦

Звонит еврей в милицию:
– Алло, милиция! У меня дома происходят массовые беспорядки!
– А что у вас случилось?
– Понимаете, моя Сарочка разбушевалась!
– Так какие же это массовые беспорядки?
– О, вы не знаете, какая у нее масса...

♦

Прохожий мужик спрашивает у еврея:
– Извините, а сколько времени?
– А сколько вам надо?

♦

Нищий стучится в дом. Открывают ему евреи.
– Мужик, я уже три дня не видел мяса.
– Сара, покажи ему котлету.

♦

Еврейский спортсмен бежал настолько хитро, что прибежал не только первым, но и вторым!

♦

В Америке на мраморных лестницах банка сидит еврей Мойша и торгует семечками. Подходит один – покупает, второй покупает, тут подходит его знакомый и говорит:
– Слушай, Мойша, одолжи мне денег.
– Не, я не могу, у меня договоренность с банком: я не выдаю кредитов, а они не торгуют семечками...

♦

Турист спрашивает одессита.

– Скажите, а сколько жителей в вашем городе?

– Миллион.

– А евреев сколько?

– Вы что, плохо слышите?

♦

Разговаривают два еврея.

– Слушай, а ты почему такой унылый сегодня?

– Та вот жена от меня ушла...

– Какой ужас...

– Конечно, ужас! Еще какой! Вчера все нормально, вроде ушла, а сегодня взяла и вернулась!

♦

Сидит еврейская семья за столом, обедает. Со стола срывается ложка и стремительно летит на пол. Глава семейства в акробатическом прыжке ловит ложку перед самым полом и облегченно вздыхает:

– Фу-у-х-х… Успел. Теперь никто не придет к нам на обед!

Тут в комнату вбегает младшая дочь и кричит:

– Папа, папа! Там тетя Софа в лифте застряла!

♦

– Циля! Шо ж ви не спрашиваете, как я живу?

– Роза, как ви живете?

– Ой, Циля, и не спрашивайте!

♦

– Мойша, ну что, ты уже устроился?

– Нет! Еще работаю!

♦

Абрам и Изя идут в синагогу. Абрам:

– Изя, а спорим, что в синагоге я пожертвую меньше вашего.

Изя думает: если я положу копейку, то как он положит меньше?

Поспорили.

Первым в синагогу заходит Изя, кладет копейку и победно поворачивается.

Абрам:

– Это за двоих.

♦

Ценный еврейский совет: никогда не раскрывайте свой подарок сразу, а дождитесь ухода гостей, ведь если вы развернете его при гостях, то никому из присутствующих его уже не подаришь...

♦

Основные темы в КВНе – это политика, шоу-бизнес и телевидение...

– А евреи?

– Ну я же и говорю: политика, шоу-бизнес и телевидение...

♦

Абрам, владелец овощной лавки, предупреждает свою жену:

– Сарочка, запомни: ничего сегодня не покупай в лавке Рабиновичей!

– Но почему?

– Потому что они одолжили наши весы.

♦

Шли очередные летние Олимпийские игры. Марафон. Третье место заняли немцы. Они не прошли допинг-контроль, но команда состояла из одних астматиков, которые нуждались в лекарствах, и им зачислили результат. Второй пришла американская команда туберкулезников. А первое место получили хитрые евреи. Их спортсмена вынесли на старт в коматозном состоянии, и всю дистанцию он преодолел с ветерком в карете «скорой помощи».

♦

У еврея спрашивают:

– У вас есть шесть яблок, если вы отдадите половину брату, сколько останется?

– Таки пять с половиной.

♦

Еврейская семья с гостями за столом:

– Кушайте, дорогие гости, кушайте... А если совсем совести нету, то и завтра приходите...

♦

Еврей рассказывает своей жене:

– Дорогая, ты себе не представляешь, сколько я сегодня заплатил в новом ресторане за чашечку чаю!.. но есть и справедливость в этом мире.

– Ты о чем, дорогой?

– Представляешь, когда я ехал домой, то по дороге обнаружил у себя в кармане три серебряные ложки.

♦

Сара – мужу:

– Изя, не пей много горячего чая, а то у тебя лопнет мочевой пузырь, и ты обожжешь себе все ноги!

♦

Еврей спрашивает у гостей:

– Что, уже уходите?

– Да...

– А че так медленно?..

♦

Мужик спрашивает у еврея:

– Ты что, жрешь таблетки? Ты что, заболел?

– Нет, просто сегодня заканчивается их срок годности.

♦

Телеграмма: СЕМА, ТВОЮ МАТЬ, ПОДРОБНОСТИ ПИСЬМОМ.

♦

– Мойша, ты знаешь, а Сема таки педераст!
– Шо, денег занял и не отдает?
– Нет, в хорошем смысле...

♦

– Алло, это КГБ?
– Да...
– У Изи в огороде закопан пулемет!
– Алло, это Изя ?
– Да...
– С тебя бутылка – сегодня ночью к тебе придут и вскопают огород!

♦

– Сарочка, а что, Абрамчик умер?
– Умер.
– То-то я смотрю – его хоронят.

♦

Большая еврейская семья готовится ужинать. Маленький Веня в ужасе подбегает к маме:

– Мама, мамочка! Я только что проглотил муху!

Мама поворачивается к младшей дочери:

– Сарочка, убери одну тарелку, Венечка уже покушал.

♦

В аэропорту таможенник спрашивает у Рабиновича:

– Откуда прибыли?

– Какие прибыли, что вы? Одни убытки...

♦

– Абрам, можно я воспользуюсь твоей газонокосилкой?

– Конечно, Мойша, но только в пределах моего участка…

♦

К месту крупного ДТП подходит старый еврей и, видя пострадавших и раненых людей, спрашивает:

– Страховщики уже приехали?

– Нет.

– Ну тогда подвиньтесь, я с вами немного полежу.

♦

Телефонный звонок.

– Скажите, Гоги дома?

– Нет, он на даче...
– Разве у вас есть дача?
– Нет, он на даче показаний – у следователя.

♦

Одна еврейка у другой в гостях. Хозяйка:
– Сара, вы масло мажьте, мажьте.
– Да я мажу.
– Нет, вы не мажете, вы кусками кладете!

♦

– Сара, а сколько вам лет?
– Таки восемнадцать.
– Но два года назад вы говорили то же самое.
– Я не из тех, кто говорит сегодня одно, а завтра другое!

♦

Как-то раз еврей продавал черешню. И к нему подошел один мужик и спросил, сколько стоит килограмм черешни. Еврей ответил, что черешни продает только поштучно – они ум прибавляют. Мужик покупает одну черешенку за 500 рублей, съедает ее и ждет озарения. Проходит час, два, и мужик снова приходит к еврею и говорит:

– Что-то ум не приходит, лучше бы я купил килограмм за те же деньги и хотя бы наелся.
Еврей отвечает:

– О, а вот и ума начало прибавляться!

♦

Еврей провожает гостей после долгого чаепития:

– Как жаль, что вы наконец-то уходите...

♦

– Добрый вечер, Сара Абрамовна! Как ваша головная боль?

– Ой, он ушел к Моне играть в карты…

♦

Сара звонит Исааку:

– Исаак, приходи вечером – Абрам уходит.

– А как я узнаю, что он ушел?

– Я копеечку во двор брошу, она зазвенит – ты и приходи.

Вечер пришел. Абрам ушел. Сара бросила копеечку. Исаака все нет и нет, слышно – он чего-то во дворе возится.

Сара в окно выглянула и кричит:

– Исаак, ты что там делаешь?

– Деньги ищу.

– Вот жлобская натура, я копейку уже давно на ниточке подняла!!!

♦

Еврей подходит в ресторане к ансамблю и спрашивает:

– Сколько стоит у вас заказать песню?

– Да сколько не жалко...

– Надо же. А я уж думал, что в наше время ничего бесплатно не делается.

♦

– Здравствуйте, это молодежное радио?

– Да...

– И сейчас меня таки все слышат?

– Да, вы в прямом эфире.

– И в магазинах, и на рынках?

– Да, и в магазинах, и на рынках.

– Хорошо... Моня, молоко не покупай, бабушка уже купила!

♦

– Софочка, где ты взяла такое потрясающее брульянтовое колье?

– Я знаю?! Мой Абраша уже три года под следствием об этом молчит, а вы спрашиваете меня?

♦

– Знаменитый композитор Имре Кальман родился в бедной еврейской семье. Когда ему исполнилось 7 лет, родители подарили ему рояль Steinway...

– Позвольте, вы сказали, что Кальман родился в бедной семье...

– Я сказал, что Кальман родился в еврейской семье.

♦

– Соня, подвинься, а то я таки упаду с кровати.

– А ты прижмись к моей спине.

– Можно подумать, что тогда я не упаду.

– Фима, ну ты же бывший моряк.

– И что?

– Значит, надо пришвартоваться и бросить якорь.

♦

Две толстые еврейки влезают в битком набитый троллейбус, одна – на переднюю площадку, вторая – на заднюю:

– Сара, – кричит одна, – у тебя есть на чем сидеть?

– Есть!

– А чего же ты стоишь?
– Так места нету!

♦

– Авраам, что это так воняет?
– Это Роза!
– Что, завяла?
– Нет, переодевается!

♦

– Как приготовить омлет по-еврейски?
– Для начала занимаем у соседа три яйца и сковородку…

♦

– Наш Моня таки поменял пол!
– Уй! Говорят, такие операции стоят бешеных денег!
– Та ну шо ви! Шо такое несколько квадратных мэтров дубового паркета при его-то деньгах...

♦

Умирает старый еврей. Слабым голосом спрашивает:
– Моя жена рядом?
– Да, мой дорогой.

– А мои дети здесь?
– Да, папочка.
– Мои внуки здесь?
– Да, дедушка!
– Тогда почему на кухне свет горит?

♦

Моисей сказал: Все от Бога.
Соломон сказал: Все от ума.
Иисус сказал: Все от сердца.
Маркс сказал: Все от потребностей.
Фрейд сказал: Все от секса.
Эйнштейн сказал: Все относительно.
Сколько евреев – столько мнений.

♦

– Наум Маркович, я таки пригласил вас настроить пианино, а не целовать мою дочь!
– Но она тоже выглядит расстроенной...

♦

– Сынок, сходи к соседу дядя Васе, попроси дрель – дырку просверлить надо.

Возвращается.

– Пап, дядя Вася дрель мне не дал, сказал, что надо свою иметь, а не чужое использовать!

– Вот! Посмотри, сын, какие жлобы на свете белом живут!!! Ладно… доставай из кладовки нашу.

♦

– Мойша! Ты почти два часа выносил мусор! Как таки так можно?

– Сара, успокойся! Я ж его таки продал!

♦

Пришла семья в гости к знакомым евреям. Играют с детьми, смотрят фотки, разговаривают. Вдруг хозяин говорит:

– Ну что, вы уже, наверное, проголодались?

– Да, конечно!

– Ну так идите домой и поешьте, как раз обеденное время.

♦

– А правда, что все евреи всегда отвечают вопросом на вопрос?

– Вы так считаете?

♦

– Тетя Валя, дайте, пожалуйста, ножницы на полчаса.

– У вас что, своих нет?

– Есть, только мама не разрешает ими проволоку резать.

♦

– Я тебя в последний раз спрашиваю, когда ты вернешь мне долг?

– Слава богу, что ты больше не будешь задавать эти дурацкие вопросы.

♦

Районный военкомат объявляет рекламную акцию:

«Приведи пятерых, таких как ты, – и можешь быть свободен!»

Евреи стали приходить по 25 человек

♦

Одесский дворик:

– Семочка, иди кушать!

– Я уже покушал у Павлика!

– Ой! Это не сын, а золото!

♦

Умирает старый еврей. У постели жена.

– Сара, я умираю. Скажи правду: ты всегда мне была верна, никогда не изменяла?

– Абрам, как ты можешь в такую минуту! А вдруг ты не умрешь?

♦

– Абгам, догогой! Шо тебе купить на базаге: кугочку, гыбку или гаков?
– Саггочка, гадость моя, мне все гавно!

♦

– Изя, я слышал, твоя теща умерла. А что у нее было?
– Да так, ерунда – старый сервант и телевизор.

♦

...Ночь, глухой полустанок. Еврей отстал от поезда. Идет на почту и дает жене телеграмму: «Сара, где я? Беспокоюсь».

♦

– Ребе, несколько лет назад у меня исчез муж. Как вы думаете, он вернется?
– Такой сложный вопрос я должен выяснить у главного раввина. Приходите завтра.
Назавтра:
– Ребе, ну что сказал главный раввин?

– Он сказал, что видит, что ваш муж вернется. А я вам говорю, что я вижу, что он таки не вернется.

– Почему?

– Потому что главный раввин вас не видел!

♦

– Зяма, я слышал, вы делаете себе зубы. Так сколько вам стоил ваш шикарный мост?

– Ой, что вам сказать, Бруклинский мне бы обошелся дешевле!

♦

– Вот, например, Цукерберг. Есть чему у него поучиться!

– У какого Цукерберга?

– Да у любого Цукерберга!

♦

Возвращается Абрам из командировки, входит в комнату, видит – под одеялом его жена и еще кто-то. Мужик встает, одевается и, молча прошмыгнув мимо Абрама, уходит.

– Сара, кто это?

– Не знаю, хам какой-то. Ни тебе здрасте, ни мне до свидания.

♦

– Тетя Соня! Зачем ваш Яша ходит в музыкальную школу?! У него же нет никакого слуху!

– Дурак! Яша ходит туда не слухать! Яша ходит туда играть!

♦

Итальянская бабушка:

– Если ты не будешь кушать, я убью тебя!

Еврейская бабушка:

– Если ты не будешь кушать, я убью себя!

♦

– Ой, у Мойши такое горе...

– Что случилось, что?

– К нему ушла моя жена.

♦

– Абрам, ты вступил в КПСС?

– Где? – спрашивает Абрам, осматривая свои ботинки.

♦

Балкончики напротив.

Вечер.

– Твой пришел?
– Нет, чтоб он сдох, а твой?
– А мой пришел, чтоб он сдох рядом с твоим!

♦

– Моня, я хочу поговорить с тобой о твоих родственниках!
– Да?!
– Моня, когда ты отдашь мне 200 долларов!?

♦

– Знаете, Моня, с вашей Сарой спят все кому не захочется!
– И я их понимаю! Мне тоже не хочется... А шо делать?!

♦

– Сара, что у вас в медальоне?
– Волосы моего мужа.
– Но ведь он еще жив!
– Таки жив, но волос уже давно нет.

♦

– Смотрите-ка, вы сшили мне из одного отреза и костюм, и жилетку, а в Париже мне говорили, что на жилетку не хватит ткани, потому что я, дескать, крупный человек.

– Это вы в Париже – крупный человек, а у нас в Одессе вы – поц. Кепочку мерить будете?

♦

Раневская обедала в ресторане и осталась недовольна и кухней, и обслуживанием.

– Позовите директора, – сказал она, расплатившись.

А когда тот пришел, предложила ему обняться.

– Что такое? – смутился тот.

– Обнимите меня, – повторила Фаина Георгиевна.

– Но зачем?

– На прощание. Больше вы меня здесь не увидите.

♦

– Рабинович, вы когда-нибудь секс втроем пробовали?

– Нет, а что?

– А попробовать хотите? Тогда – бегом домой, может, еще успеете!

♦

– Скажите, вы часом не с Винницы?

– Нет, я не с Винницы.

– О! Так мы с вами земляки!

– Это как так?

– Я тоже не с Винницы!

♦

– Абрам! Ты поц! Ты такой поц, что, если бы был всемирный конкурс поцов, ты бы имел свое второе место!

– Сарочка! Но почему второе?!

– Потому что ты поц!

♦

– Мойше, шо вы все время молчите?

– Шоб я в такой мороз руки с карманов вынимал?

♦

Одесса. В окне старый еврей, подперев голову, наблюдает за прохожими:

– Жора! Таки вы куда?

– Ой, шо вы, нет! Я домой!

♦

Объявление в американской газете: «Мистер и миссис Розенблюм имеют счастье сообщить о рождении своего сына, доктора Джонатана Розенблюма».

♦

В еврейском ресторане. Клиент зовет официанта:

– Шломо, попробуй этот суп.

– Что вдруг? Это тот же суп, который вы всегда заказываете.

– Попробуй.

– Слушайте, когда я вам подавал плохой суп?

– Я тебе говорю: попробуй!

– Ну хорошо, уже я попробую... где ложка?

– О!

♦

– Рабинович, вы с ума сошли! Зачем вы притащили в синагогу собаку!?

– Ребе, это не простая собака, она же умеет петь!

Собака запела. Ребе восхищенно:

– О, вэйзмир, она так поет, что может быть кантором в нашей синагоге!

– Ребе, я таки ей твержу то же самое. А она не хочет и слушать! Только зубным техником!

♦

– Фридман, к сожалению, мы не можем повысить вам зарплату.

– Я и не прошу повысить. Но хотя бы чаще ее платить вы можете?!

♦

– Послушайте, Циля! Такое горе! Мой Ромочка – голубой!

– Да?! Но он таки встречается с еврейским мальчиком?

♦

В бане:

– Вы из Бердичева?

– А как вы узнали?

– Сразу видно – ажурная работа нашего раввина.

♦

– Мадам Спектор, вы знаете, у мужа Фимочки вырезали гланды.

– Бедная девочка, она так хотела иметь детей.

♦

Одесса. Старый еврей стоит, облокотившись на парапет, и смотрит на траурную процессию. К нему подходит знакомый:

– Изя, ты что, тещу похоронил?

– Нет, жену.

– Тоже неплохо.

♦

– Ой, ваш Абрамчик на лицо – вылитый папа!
– Это не страшно, был бы здоров!

♦

Сара выглядывает с третьего этажа и спрашивает:

– Мадам Циперович, и где ви брали такой шуби и сколько за нее ви дали?
– Два...
– Шо два?
– Два раза...

♦

– Сарочка! Вы сегодня просто прекрасно выглядите!
– Ха! Это я еще себя плохо чувствую!

♦

Три еврея гуляют по кладбищу:
– Я хотел бы лечь в могилу рядом с Моисеем Зусманом. Он был таким великим поваром.
– А я хотел бы лечь в могилу рядом с ребе Снайпером. Он был таким раввином...
Третий, скромно:
– А я хотел бы лечь рядом с мадам Кац.

– Так она же, слава богу, жива...

– О!

♦

– Хаим, одолжите 100 долларов!

– У кого же я здесь одолжу? Я же здесь никого не знаю!

♦

Приходит еврей к раввину.

– Ребе, у меня проблема: сын ушел в христианство, крестился. Что делать?

– Ну я должен с Богом посоветоваться, приходи завтра.

Назавтра тот приходит, спрашивает, что сказал Бог.

Раввин отвечает:

– Бог говорит, у него те же проблемы.

♦

Встречаются мулла, раввин и священник. Начали всякие религиозные разговоры вести, а под конец разговорились, и пошла речь о наболевшем, как деньги, собранные с прихожан, делить, сколько на ремонт церкви (синагоги, мечети) выделять, сколько себе на прожитье оставлять. Мулла говорит:

– Я собираю все деньги, что принесли мне прихожане, рисую на земле круг, отхожу метра на два и бросаю деньги в круг. Что внутрь попадет, я Богу отдаю (на мечеть). Что снаружи остается, я себе на прожитье беру.

Священник вступает.

– Я тоже собираю все деньги и рисую на земле черту. Отхожу на пару метров и бросаю. Те деньги, что черту перелетают, я отдаю Богу, а остальные забираю.

Раввин говорит:

– Нет. Все это очень сложно. Я тоже собираю все деньги, но не рисую круг, не рисую черту. Я просто бросаю деньги вверх. Что Богу надо, он сам себе возьмет.

♦

Стоят в Киеве около памятника Богдану Хмельницкому два киевлянина:

– Абрам, а кому это памятник?

– Это украинцам, Моня, – они тут когда-то жили!

♦

Приезжает еврей в Нью-Йорк, заходит в ресторан и спрашивает у директора, где можно найти Сару. Тот указывает ему на девушку за стойкой бара. Абрам подходит к ней и говорит:

– Девушка, вы такая красивая, мне очень нравитесь, предлагаю вам 200 долларов.

Сара посмотрела – низенький, лысый, противный, но 200 долларов и в Нью-Йорке – деньги, и согласилась. На следующий день повторилось то же самое... На третий день, лежа в постели с Абрамом, Сара спрашивает:

– Скажите, а откуда вы такой богатый приехали в наш город?

– Из Иерусалима, – отвечает Абрам.

– Ой, да у меня же там тетя живет!

– Вот она и просила передать вам 600 долларов.

♦

Однажды чукчи захотели породниться с евреями. Приходят свататься.

– Однако, у вас дочка, у нас сын, хотим породниться с вами. Однако, юрта у вас старая, новую надо, – кладут на стол пятьдесят тысяч.

– Однако, оленей у вас нет, много надо, – кладут еще пятьдесят тысяч.

– Однако, дочка у вас бедно одета, богато надо, – еще пятьдесят тысяч.

Старый еврей говорит своей жене:

– Сара, не кажется ли тебе, что наши новые родственники больше похожи на японцев?

♦

Приходит Мойше к Абраму:

– Слушай, Абрам, что мне делать? Мой сын позавчера бросил все и пошел в Иерусалим, чтобы стать христианином.

– Это невероятно! Мой сын тоже позавчера бросил все и пошел в Иерусалим, чтобы стать христианином. Пойдем посоветуемся с равви-ном... И они пошли вдвоем к раввину...

– Рабби, что нам делать?..

– Это невероятно! Но и мой сын бросил все и пошел в Иерусалим, чтобы стать христиани-ном. Надо молиться... После двух дней мольбы небеса разверзлись, и появляется Бог.

– Что ты хочешь от меня, раввин?

– Что нам делать? Наши дети уходят от веры Израилевой в Иерусалим, чтобы стать христи-анами...

– Это невероятно, но и мой сын...

♦

Ксендз встречается с раввином и говорит:

– Мне сегодня приснился странный сон. Буд-то попал я в еврейский рай. И там такая грязь, вонь и толкотня!

– А мне, – говорит раввин, – снилось, будто попал я в христианский рай. И там так чисто, светло, сплошное благоухание – и ни души!

♦

Старый еврей приходит к раввину.

– Ребе! Какое горе, какое горе... – у моего сына в постели христианская девушка и на столе свинина.

– Все не так плохо. Вот если бы девушка была на столе, а свинина в постели...

♦

– Тетя Сара, тетя Сара, ваш Мойша ест говно!

– Мойша, дурак, не наедайся, скоро обед!

♦

Некий делец открыл магазинчик всякой всячины. Дела никак не идут. Ну почесал мужик репу и нанял продавцом старика Абрама. И тут-то прибыль покатила! Удивился мужик и думает: надо бы посмотреть, как Абраму это удается? Сказано-сделано.

Заходит в свой магазинчик, а там Абрам мужичонку уламывает:

– К вашей удочке обязательно нужны еще и лески/крючки/поплавки...

– Заворачивай.

– А вот есть еще такая классная штука – спиннинг. Как закинешь метров на 100, раз дернул – щука, два дернул – лещ.

– А заворачивай.

– А круче всего рыбу ловить с лодки. Вот, мужик, лодку резиновую хошь?

– Заворачивай.

– Ну накупил... До дома как довезешь? Вот возьми еще и мотоцикл с коляской. До хаты доедешь, а там телку в люльку – и на рыбалку.

– Ну по рукам.

Мужичонка расплатился и уехал. Хозяин подходит к Абраму, поздравляет.

– Да у вас талант. Надо же, мужик за удочкой пришел, а уехал на мотоцикле!

– Да нет, он за прокладками приходил – у жены месячные. А я ему и говорю: «На хрена тебе тогда жена – езжай лучше на рыбалку!»

♦

– Абрам Исаакович, у вас деньги есть?

– Ну что за вопгос? Конечно же нет!

– А дома?

– Ой, спасибочки! Дома все хогошо!

♦

Идет Изя по улице, широко расставляя ноги. Навстречу Сема.

– Что с тобой?

– Да вот, доктор сказал – много холестерина в крови.

– Ну и?
– Сказал, чтобы к яйцам даже не прикасался.

♦

Два еврея:
– Абрам, что это мы все о бабах, давай, что ли, о политике.
– Давай.
– Что-то меня Гондурас беспокоит.
– А ты его не чеши...

♦

Абрам и Сара:
– Абрам, а на тебе муха сидит!
– Ты что, хочешь сказать, что я – говно?
– Ну что ты, но муху ведь не обманешь!

♦

Слепой Мордехай пришел к раввину и спрашивает:
– Что ты сейчас делаешь?
– Пью молоко.
– Что такое молоко?
– Такой белый напиток.
– Что значит белый?
– Ну, как лебедь.
– Что значит лебедь?

– Такая птица с изогнутой шеей. Раввин согнул руку в локте и дал ее пощупать Мордехаю.

– Вот что значит изогнутый. Мордехай тщательно ощупал руку и сказал с благодарностью:

– Спасибо тебе, ребе! Теперь я уже знаю, как выглядит молоко!

♦

Епископ спрашивает у раввина:

– Неужели вы никогда не пробовали свинины?

– Честно говоря, однажды в юности я поддался любопытству и попробовал. А теперь откровенность за откровенность: неужели у вас никогда не было женщины?

Епископ:

– Да, был однажды случай в юности...

Раввин:

– Скажите, а ведь, правда, это намного лучше, чем свинина?

♦

– Алло, Абрам дома?

– Дома, дома, через два часа выносить будем.

♦

Петька встречает Чапаева в Тель-Авиве под еврейский Новый год.

– Шана това, Василий Иваныч! (С Новым годом!)

– Воистину, това, Петька!

♦

– Абрам, ты мне должен десять рублей!

– Какие пять рублей? Не давал ты мне никакие три рубля!

– Соня, дай ему рубль! Но учти, больше пятидесяти копеек я тебе не дам!

– И ваще, не морочь мне голову, забирай свои десять копеек и вали!

♦

Абрам и Изя решили стать русскими (ну сколько можно, в самом деле, в евреях ходить?). Пошли к попу и говорят: мол, так и так, батюшка, принимай в православные. Тот им и отвечает:

– Это надобно заслужить! Видите крест на церкви? Вот коли доползете до него, так и станете русскими...

Ну полезли они. Абрам ловчее был – первым добрался, вцепился в крест – висит. Снизу Изя, из последних сил протягивая руку:

– Аб'гам! Помоги!

– Какой я тебе «Аб'гам», – отбиваясь пяткой, – мо'гда ев'гейская!

♦

Приходит Хаим в публичный дом:

– Кто у вас самая лучшая?

– Соня, но и самая дорогая.

– Ну, качество важнее.

Заходят в нумера, Соня начинает исполнять нечто невообразимое.

Хаим:

– Соня, что это?

Соня, недоуменно:

– Как что? Темперамент!

Хаим:

– О, Соня, не надо путать темперамент с суетой!

♦

У старой еврейки спрашивают:

– Сара, сколько у вас было детей?

– Циля, Роза, Миша. Трое!

– Как же трое? А Мулик?

– Какой Мулик?

– Который умер 20 лет назад.

– Таки он же умер!

♦

– Ну, как дела, господин Фрадкин?

– Ой, плохо, совсем плохо.

– Да, что вы! А я слышал, вы недели две назад получили наследство от своей тетушки.

– Ну и что с того?

– А на прошлой неделе умер ваш двоюродный дедушка, от него вам, кажется, тоже кое-что перепало?

– Допустим.

– И это все, по-вашему, плохо?

– Да, как сказать. А на этой неделе прямо все как отрезало!

♦

Еврей поймал такси, садится. Таксист говорит:

– Десять рублей за посадку.

– Нет, дорого.

Он тормозит следующую машину и кричит:

– Проезжай, проезжай, я на ходу заскочу!

♦

1903 год. Одесса. По Дерибасовской идет Моня и видит – в доме №13 открылся публичный дом. Моня заходит туда и видит – на столике лежит порнушка, а поверх стоит ценник: негритянка – 30 р, индианка – 25 р, француженка – 20 р, полячка – 15 р, русская – 10 р. Почесал Моня затылок и обращается к мадам:

– Послушайте, я бедный еврей, у меня всего 3 рубля. А... я хочу...

– У нас все для клиентов – я вас обслужу...

1933 год. Одесса. По Дерибасовской идет изрядно постаревший Моня и видит – в доме №13 открылась швейная артель. Вспомнив молодость, Моня зашел туда.

Смотрит – весь бывший персонал дома терпимости тихо сидит и шьет передники.

– Здравствуйте, – обращается Моня к председательнице артели, – вы меня не узнаете?

– Как же, как же, я вас помню, вы – Моня, – радостно восклицает председательница и громко зовет:

– Абрам! Абрам! Иди сюда скорее! Твой папа пришел!

Из подсобного помещения выходит здоровенный жлоб и молча начинает бить Моню.

– За что?! – восклицает Моня, приходя в себя.

– За то, что ты за 3 рубля сделал меня евреем!

– Идиот! Будь у меня тогда 30 рублей, ты был бы негром!

♦

Мойша вызывает мастера и говорит:

– Что-то у меня телевизор сломался, надо звук починить.

– А как сломался?

– Да ни с того ни с сего: сижу, отверткой в ухе ковыряю, вдруг раз – звук пропал...

♦

Жила-была одна еврейская семья в России, и решили они уехать на свою историческую родину. Уехали глава семьи старый Абрам с двумя сыновьями – разведать, что к чему там, а жена с дочерьми тут остались. Вдруг через неделю после приезда в Израиль старый Абрам отдает концы, и сыновья шлют в Россию телеграмму:

«Абраша все». Через неделю приходит ответ: «Ой».

♦

Сара спит в постели с Абрамом, а он все ворочается.

– Абрам, что ты все ворочаешься?

– Я занял до завтра у Мойши миллион, а отдать не смогу.

Сара приподнимается и стучит в стенку:

– Мойша!

Из-за стенки:

– Да, Сара.

– Абрам у тебя занимал миллион до завтра?

– Да.

– Ну так вот, он тебе его завтра не отдаст.

Ложится, поворачивается к мужу и говорит:

– Спи, Абрамчик, пускай теперь Мойша ворочается!

♦

Спят Абрам с Сарой. Вдруг Абрам просыпается со стоном.

– Плохо мне, Сарочка...

– Спи, Абрам, кому сейчас хорошо?

Утром Сара просыпается – Абрам холодный лежит.

– Абрамчик, что ж ты не сказал, что тебе хуже всех?!

♦

Легли, значит, Абрам и Сара спать.

– Абрам, а ты закрыл дверь на замок?

– Да, Сара, закрыл.

– А на второй?

– Тоже.

– А щеколду задвинул?

– Задвинул.

– Цепочка на двери тоже закрыта?

– Да, Сара.

– А ты швабру в ручку двери вставил?

– Нет, забыл.

– Ну, конечно, заходи, честной народ, бери что хочешь!

♦

Абрам неожиданно возвращается домой, заходит на кухню и видит следующую картину: какой-то мужик в его домашних тапочках и махровом халате жарит яичницу. Абрам заходит в спальню. Там лежит голая Сара, на лице блаженство, на кровати следы бурной ночи.

– Сара?! Что это такое?! Как это понимать?!

– Ну вот, Абрам, опять начнутся необоснованные упреки, подозрения...

♦

Италия, Рим – падает самолет, в салоне старый еврей выговаривает жене:

– Сара, я говорил же тебе – деньги надо тратить разумно, а ты – «брось в фонтан монетку – вернемся, да брось монетку»...

♦

Сидит как-то Абрам дома утром с бодуна, башка болит, денег нет. У Сары просить бесполезно...

– Сара, а ты читала вчера в газете о новой мастерской?

– Какой мастерской, Абрам?

– А тут открыли новую мастерскую, переделывают члены на любой вкус. Всего 5 рублей стоит.

– Да что ты говоришь! На вот 5 рублей, Абрам, иди и сделай себе подлиннее.

Абрам довольный, оделся, выходит, в дверях его останавливает Сара и дает еще 5 рублей:

– И попроси, чтоб еще потолще сделали.

Абрам вышел, прошел 15 метров, Сара кричит с балкона:

– Абрам, Абрам, стой! Вот тебе еще 5 рублей, пусть сделают, чтоб еще изогнутый был.

Ну приходит вечером Абрам домой бухой. Не успел порог переступить, а Сара уже на него:

– Ну что?!

– Ох, Сара, такого красавца сделали: дли-и-инный, то-о-олстый... Начали гнуть – сломался!

♦

– Сара! Сара! А ти знаешь, мой Абраша купил мотоцикль! Он летает, как молния!

Сара:

– Шо, так бистро?

– Да нет, зигизугами!

♦

Приходит старый Абрам к раввину и говорит:

– Я прожил длинную и трудную жизнь. Я знаю все... Я не знаю только одного: что значит слово «нюансы». Не мог бы ты мне как-нибудь объяснить, что это такое?..

– Хорошо. Смотри...

Раввин снимает штаны и обращается к Абраму:

– Засунь мне свой нос в задницу.

Абраму делать нечего... Нагнулся, засунул, стоит...

– Ну как?

– Да плохо.

– Воняет... И нос в заднице...

– У меня тоже нос в заднице, но есть нюансы...

♦

Сара утром выходит на балкон:

– Эй, Белла, мой сифилитик у тебя?

Белла падает в обморок.

На балкон выходит Абрам:

– Сара, сколько раз повторять, не сифилитик, а филателист.

♦

«Здравствуй, Абрам, пишет тебе твой друг Изя... пользуясь случаем, хотел выслать тебе долг – 10 рублей, да запечатал конверт, извини».

♦

– Абрам, как жизнь?

– Плохо.

– Что так?
– Моя жена спит с лордом Лестером.
– Да уж, плохо.
– Правда, я сплю с женой лорда.
– Так это ж хорошо!
– Хорошо?! У меня от него уже двое детей!
– Да, плохо...
– Правда, и у его жены от меня двое детей.
– Но тогда вы квиты?
– Какое квиты! Я-то ему делаю лордов, а он мне – евреев.

♦

К раввину пришел молодой человек за советом: жениться ему или нет. На что мудрый раввин ответил: «Делай так или эдак, а все равно потом пожалеешь...»

♦

Вы помните, на углу Рабиновича и Абрамовича стояла бочка с чешским пивом? Кому она, черт подери, мешала?

♦

Арестовали старого еврея, ведут в ментовку. Навстречу еще один еврей:
– Абрам, ты куда идешь?

– На охоту.
– А ружье где?
– Да вон, сзади несут!

♦

– Абрам, я слышал, твоя дочка выходит замуж?
– Да, выходит... понемножку.

♦

– Абрам, тебе сегодня принесли письмо с пометкой «лично».
– Да, Сарочка? И что же там написано?

♦

– Абрам, а что будет, если ты нарушишь одну из десяти заповедей?
– Останется еще девять.

♦

Еврей на допросе. Следователь:
– Знаете ли вы Абрама Моисеевича?
– Нет!
– А Мойшу Ивановича?
– Нет, постойте, лучше Абрама Моисеевича!

♦

– Абрам, сколько ты дашь за мою Сару?

– Ни копейки!

– Договорились, бери!

♦

Абрам тащит тяжелораненого Мойшу.

– Абрам, пристрели меня. Все равно не выживу, только мучаюсь.

– Не могу, патронов нет.

– А ты у меня купи!

♦

– Сара, почему ты всегда снимаешь очки, когда приходит твой жених?

– Ну, без очков я красивее, да и он тоже.

♦

– Сонечка, одолжи мне денег.

– У меня нет.

– Но ты же сегодня на базаре много наторговала?

– Знаешь, Абрам, деньги лучше дарить, чем давать в долг! В первом случае ты приобретаешь благодарного друга, а во втором – неблагодарного врага!

♦

– Ты что здесь делаешь, Абрам?
– Как что? Приехал в женой в театр!
– А почему не заходишь?
– Сегодня моя очередь охранять машину.

♦

У Рабиновича спросили:
– Почему у тебя фингал под глазом?
– Мне хотели дать под зад, но я выкрутился.

♦

– Послушай, Абрам, ты играешь на тромбоне?
– Нет.
– А твой брат Мойша?
– Да.
– Что да?
– Тоже нет.

♦

За рулем Абрам превысил скорость. Мент его останавливает.
– Вы скорость превысили.
– Какой русский не любит быстрой езды?
– С вас штраф.
– Откуда у бедного еврея деньги?

♦

Рабинович жене, – так стыдно.

– Что случилось? – спрашивает она.

– Абрам уже третий раз приглашает меня на похороны его жены, а я его еще ни разу не приглашал.

♦

Рабинович смотрит в окно и говорит жене:

– Сара, смотри, вон идет любовница Абрамовича!

– Это она? Посмотреть не на что. Наша намного лучше!

♦

Продают рыбу, живую, в бочке. Абрам спрашивает.

– У вас свежая рыба?

– Ты что, не видишь, она жива.

Абрам говорит:

– У меня Сара тоже живая, но не свежая.

♦

К Абраму на работу прибегает сосед:

– Ты знаешь, у тебя дома наш управдом имеет любовь с твоей Сарой!

Побежали они домой. Абрам заглядывает в замочную скважину:

– Мойше, но это же не наш управдом!

♦

Изя встречает Абрама и говорит:

– Привет, Абрам, хорошо, что я тебя встретил, – ты мне как раз 5 рублей уже месяц как должен.

Абрам:

– Ну и жлобская же ты натура, Изя! Я уже и думать про них забыл!

♦

Рабинович, проходя на демонстрации мимо трибуны, поднимает руку и кричит:

– Пламенный привет! Пламенный привет!

– Абрам, – удивился идущий рядом Хаймович. – С каких это пор ты их так любишь?

– Не могу же я прямо заявить: «Чтоб вы сгорели!»

♦

– Абрам, кто такой был Карл Маркс?

– Это был такой экономист.

– Как наша Бэллочка?

– Наша Бэллочка – старший экономист!

♦

Во двор к Абраму зашел сосед:

– Абрам, ты брал у меня целый таз, а вернул его с дыркой.

– Во-первых, Исаак, я брал таз с дыркой. Во-вторых, я отдал тебе таз без дырки. А в-третьих, никакого таза я у тебя не брал!

♦

Бракоразводный процесс в Одессе. Судья спрашивает истца:

– Абрам, таки объясни нам по-человечески, почему ты разводишься с Сарочкой?

– Понимаешь, она меня не устраивает как женщина. Голос из зала:

– Пол-Одессы устраивает, а его не устраивает.

♦

Сидят в переходе двое нищих. Перед одним табличка – «ЕВРЕЙ». Перед другим – «РУССКИЙ». Публика, видя такое дело, кидает монеты только тому, у которого табличка «РУССКИЙ». Сердобольный старичок подходит к «ЕВРЕЮ» и говорит:

– Ты бы хоть табличку сменил...

Тот, обращаясь к соседу:

– Абрам, и он будет учить нас коммерции...

♦

В результате несчастного случая умер Мендель. Нужно уведомить жену.

– Это надо сделать осторожно... как-нибудь постепенно... – говорит один приятель.

– Постепенно? – задумчиво спрашивает другой. – Тогда надо послать Абрама, он заикается.

♦

По объявлению о сдаче квартиры бездетной семье приходят Абрам и Сара и уверяют хозяйку, что детей у них нет. Хозяйка соглашается. На следующее утро она с ужасом обнаруживает в квартире пятерых детей.

– Вы же говорили, что у вас нет детей! – возмущается хозяйка.

– Конечно. Разве это дети? Это же мерзавцы!

♦

Хаим обозвал Абрама дураком. Раввин потребовал от Хаима извинения.

– Да не знаю я, как это делается!

– Очень просто, скажешь: «Абрам не дурак, извиняюсь».

В молитвенный день Хаим выходит на середину синагоги:

– Абрам не дурак? Извиняюсь...

♦

Приходит домой Абрам и катит с собой велосипед.

– Ты где его взял? – удивленно спрашивает жена.

– Я встретил твою подругу Сару. Она пригласила к себе, мы с ней поужинали, потом она садится ко мне на колени и говорит: «Дорогой Абрам, возьми что хочешь!»

Я осмотрелся кругом, увидел велосипед...

♦

Встречаются два еврея.

– Куда бежишь?

– Я боюсь, что Абрамович ночует с моей женой.

– Так ведь день на дворе.

– О, вы не знаете Абрамовича, он может и днем переночевать.

♦

Приходит Сара с базара и обращается к Абраму.

– Ты знаешь, я сегодня на базаре дала маху.

– Это что, тому старому лавочнику?

– Да нет, я потеряла 3 рубля.

– Лучше бы ты дала Маху.

♦

– Абрам, где ты достал себе такой костюм?
– В Париже.
– А это далеко от Бердичева?
– Ну, примерно две тысячи километров будет.
– Подумать только! Такая глушь, а так шьют хорошо!

♦

Встречаются два еврея. Один спрашивает:
– Где ты сейчас работаешь, Абрам?
– В оркестре русских народных инструментов.
– И что, там таки все наши, евреи?
– Да нет, есть один русский. Ну ты же знаешь, это такие проныры – везде пролезут!

♦

Во времена Третьего рейха Адольф Коган обращается в берлинский муниципалитет с просьбой о смене документов.
– Опять еврейские штучки! – злится чиновник. – Думаешь, это тебя спасет? Ну уж нет, был ты Коганом, Коганом и останешься!
– Да нет, я ничего не имею против своей фамилии! Я только хотел поменять имя Адольф на Абрам!

♦

Приходит маленький Абрам из школы и говорит:

– Сегодня учитель опрашивал учеников по части их национальности, и я сказал, что я русский.

Мама:

– Ах так! Если ты русский, то у нас на обед сегодня каша с курицей. Так вот, будешь есть одну кашу.

Папа:

– Ах так! С сегодняшнего дня будешь ездить в школу на автобусе, как все, а не на машине.

Абрам сидит за столом, ковыряет кашу и произносит:

– Я десять минут как русский, а уже так вас, евреев, ненавижу!

♦

Абрам сидит и просит милостыню. Исаак подходит, роется в карманах, достает три копейки и, извиняясь, говорит:

– Абрамчик, извини! Я вчера женился, теперь у меня жена, дети... Короче, пять копеек, как прежде, давать не могу.

Тут Абрам вскакивает и кричит:

– Евреи, идите скорей сюда! Посмотрите на этого поца. Вчера он женился, а я теперь должен его семью кормить.

♦

Заходит сосед к Абраму, а тот стоит возле батареи, положил свой член сверху и читает учебник физики. Сосед его спрашивает:

– Абрам, что ты делаешь?

– Да вот, в книге написано, что от нагревания тела расширяются, а от охлаждения – сужаются.

– А где же Сара?

– А Сара в холодильнике...

♦

Сара лежит на смертном одре. Рядом Абрам.

– Абрам, пообещай мне, что выполнишь последнее мое желание.

– Обещаю, Сарочка, а какое?

– Я хочу, чтобы на моих похоронах ты шел рядом с моей мамой и держал ее за руку...

– Хорошо, но предупреждаю тебя, Сара, что тогда я от твоих похорон никакого удовольствия не получу.

♦

Умирает старый еврей и просит, чтобы ему перед смертью принесли чашечку кофе с двумя кусочками сахара. Приносят кофе, еврей его выпивает с огромным наслаждением.

– Хоть перед смертью я получил то, о чем мечтал всю жизнь.

– Абрам, но ты же был не самым бедным евреем в нашей деревне, и разве ты не мог позволить себе чашечку кофе?

– Мог, но дома я пил кофе с одним кусочком сахара, а в гостях – с тремя.

♦

Два еврея, живущие друг напротив друга, разговаривают:

– Исаак! Когда у тебя день рождения?

– А что такое?

– Да вот хочу тебе подарить занавески, чтобы не видеть, как ты каждый вечер бегаешь за своей голой женой!

– Абрам! А у тебя когда день рождения?

– А что такое?

– Да вот хочу подарить тебе бинокль, чтобы ты видел, за чьей женой я бегаю!

♦

Звонок в дверь. Мальчик-пионер открывает, за дверью стоит женщина:

– Скажите, а это вы спасли моего маленького Абрашу, который вчера провалился под лед?

– Да.

– Скажите, а где же его вязаная шапочка?

♦

В Одессе. Жена готовит на кухне, а муж колет во дворе дрова. Вдруг раздается пушечный выстрел. Жена высовывается в окошко:

– Абрам, почему стреляла пушка? Что, мясо привезли?

– Да нет, это начальство из Москвы приехало.

Через несколько минут снова выстрел.

– Абрам, что, мясо привезли?

– Я же сказал, начальство из Москвы приехало.

– А что, первый раз не попали?

♦

Сара зовет на именины друзей. Пригласила Абрама, Измаила и думает: «приглашу-ка я русского Ваньку»...

– Дорогие мои, много я не хочу, подарите мне что-нибудь золотое!

Приходит Абрам:

– Сара, милая, поздравляю, весь город обегал, но достал, – и вынимает какао «Золотой ярлык».

Измаил:

– Сарочка, дорогая, я принес такой подарок – сувенир «Олень – Золотые рога», и вытаскивает маленькую статуэточку.

Сара думает, они евреи, хитрые, обманули меня, ждет Ивана. Приходит он и говорит:

– Хорошая ты моя, с именинами тебя, ничего золотого я не нашел, зато привел другана Федю, не друг – золото...

♦

Советское время. Рабиновича вызвали в ОБХСС.

– Где вы взяли деньги на «Волгу»?

– У меня был «Москвич». Я его продал, переодолжил и купил «Волгу».

– А где вы взяли деньги на «Москвич»?

– Был у меня «Запорожец», я его продал, переодолжил и купил «Москвич».

– А где вы взяли деньги на «Запорожец»?

– У меня был велосипед. Я его продал, переодолжил и купил «Запорожец».

– А где вы взяли деньги на велосипед?

– А за это я уже сидел.

♦

Еврей слушает оперу «Евгений Онегин». Спрашивает у соседа:

– Скажите, пожалуйста, а Онегин – еврей?

– Нет.

– А Татьяна – еврейка?

– Нет. И не мешайте смотреть.

Еврей помолчал и снова пристает к соседу:

– Я дико извиняюсь, скажите, а хотя бы Ленский – еврей?

– Да! Да, пусть будет еврей!!!

– Вот увидите – его обязательно убьют!

♦

Приходит Абрам записываться в партизаны. Командир партизанского отряда говорит ему:

– Чтобы стать партизаном, надо сначала выполнить задание. Вот тебе пачка листовок, распространишь – возьмем в партизаны.

Через неделю Абрам возвращается. Командир спрашивает его:

– Почему так долго?

Абрам достает пачку денег:

– Ну и товар же вы мне подсунули!

♦

Два еврея идут на день рождения знакомого и случайно встречаются. Оба несут по конверту в подарок. Один спрашивает:

– Скажите, а сколько вы денег положили в конверт?

Второй возмущенно:

– А что, по-вашему, сам конверт уже ничего и не стоит?

♦

Поймал Рабинович Золотую Рыбку. Рыбка, как обычно, предлагает три желания. Рабинович задумался, почесал лысину:

– Хочу дом на Средиземноморском побережье, три миллиона долларов на счет в банке и тетку с огромным бюстом. Это, значит, раз!

♦

Еврей устраивается на работу дворником и говорит:

– Есть у вас метелка с моторчиком?

– Где вы видели метелку с моторчиком?

– А где вы видели еврея с метелкой?

♦

У англичанина есть жена и любовница, англичанин любит жену.

У американца есть жена и любовница, американец любит любовницу.

У француза есть жена и любовница, француз любит и жену, и любовницу.

У русского есть жена и любовница, русский любит водку.

У еврея есть жена и любовница, а еврей любит маму...

♦

Приходит Иван занимать денег к соседу Абраму:

– Абрам, дай мне в долг рубль, а я тебе весной два рубля отдам. Вот, в залог тебе топор оставлю.

Абрам дает ему рубль, забирает топор. Иван уже собрался уходить, а Абрам ему говорит:

– Ваня, слушай, а тебе же трудно будет весной два рубля отдавать. Давай ты один рубль мне сейчас отдашь.

Иван приходит домой, чешет в затылке:

– Рубля нет, топора нет, один рубль я еще остался должен. А если разобраться, то все правильно!

♦

Раввин:

– И вот, когда при родах умерла у Иезекиля жена, взмолился он: «Господи, сделай так, чтобы я мог вскормить этого ребенка, и он не умер!»

И сжалился Господь, и наполнил его грудь молоком, и вскормил он ребенка, и тот не умер!.. Ну что? Есть вопросы?..

– Ребе, а почему бы Господу было просто не дать ему немножко денег на кормилицу, а не портить мужчине фигуру?

Раввин:

– Я не знаю... Но думаю, Господь рассуждал так: «Если можно сделать чудо, зачем рисковать деньгами?!»

♦

Еврей пишет с фронта: «Дорогие родители, у меня все хорошо, служу у Буденного в коннице. Прошу вас прислать денег на лошадь. Здесь все ездят на своих».

Ответ: «Письмо твое, сынок, не получили. Поэтому денег не высылаем. Смотри не попади служить в морфлот, чтобы нам не покупать тебе подводную лодку».

♦

Сколько у нас всего евреев? – спрашивает Брежнев Косыгина.

– Миллиона три-четыре.

– А если мы им всем разрешим уехать, многие захотят?

– Миллионов десять – пятнадцать.

♦

Одесса. Ателье мод. Пожилой еврей-закройщик. Заходит молодая клиентка.

– Уважаемый, у вас можно пошить юбку?

– Конечно.

– А сколько надо ткани?

Закройщик, внимательно посмотрев на ноги клиентки:

– 60 сантиметров.

– А так, чтоб чашечки было видно?

– Берите 20 – и будет виден весь сервиз!

♦

– Почему ты плачешь? – спросил прохожий маленького Мойшу.

– Мама мне дала рубль, а я его потерял.

– Вот тебе рубль, только не плачь. Ну что ты опять заревел?

– Как что? Если бы я не потерял мамин рубль, то у меня сейчас было бы два рубля!

♦

Идет еврей к стоматологу, его обгоняет парень. Еврей:

– Молодой человек, вы к стоматологу? За мной будете.

♦

Встретились два... одессита. Один попросил другого рассказать анекдот, но «только не про евреев». Тот рассказал, что теперь круглосуточные магазины имеют на витрине маркировку не 7/24, а 7/40, если, конечно, владелец – еврей...

– Но я же просил не про евреев!

Тогда пошла в ход история об испанце, получившем разрыв сердца... в синагоге, когда туда зашел испанский король: у посетителя синагоги голова должна быть покрыта, а в присутствии короля головной убор надо снимать... Опять еврейская история получилась... Бурные протесты со стороны слушателя.

– Ну хорошо, вот тебе анекдот не про евреев. Встречаются китаец с чернокожим. Китаец спрашивает: «Хайм, где ты так загорел?» А негр отвечает: «Абраша, тебе к врачу срочно надо, у тебя желтуха!»

♦

После 11 сентября мир разделился на два лагеря – одни вешают американские флаги у себя в кабинетах, на крышах домов, покупают футболки с изображением флага, другие – эти флаги срывают, рвут и жгут... И только два старых еврея – Абрам и Мойша – продолжают заниматься своим делом – шить американские флаги...

♦

Встречаются два еврея. Один у другого спрашивает:

– Вы случайно не еврей?

– Еврей, но неслучайно.

♦

– Яша, ты уже в конце концов покормишь кота?! Ты что, не слышишь, как он орет? Затерроризировал совсем!..

– Евреи с террористами переговоров не ведут и их требования игнорируют!..

♦

Еврей, доехав до дома на такси, выходит молча из машины и начинает шарить по карманам, а под нос бормочет:

– Черт, кажется, в машине кошелек выронил…

Услышав это, таксист нажимает на газ и сматывается. Еврей, глядя вслед такси, ехидно говорит:

– А Рабинович не врет, это правда работает…

♦

Рабинович побывал в Париже. По возвращении друзья набрасываются на него с вопросами: «как там, в Париже, какие были приключения, каковы парижанки, похожи ли на здешних?»

– Ну как можно сравнивать?! – возмущается Рабинович. – Вот у меня было интимное свидание с одной парижанкой. Уж теперь-то я знаю все точно!

– Так расскажи, наконец!

– Итак: на ней была накидка с капюшоном из люрекса – ничего подобного вы здесь не отыщете. А когда она ее скинула, то под ней оказалась блузка из розового шифона, прозрачная, как стекло! А юбка ее была вся сплошь покрыта блестками, так что на нее даже смотреть было больно. Потом она сняла юбку… Белье у нее было отделано валлонскими кружевами лилового цвета и прошито серебряными нитями… Подвязки были украшены стразами от Сваровски… Потом она сняла с себя и белье, и подвязки…

– И что же было дальше?

– А дальше все было в точности, как у нас в Одессе…

♦

Умер старый богатый еврей. Вся семья собралась у нотариуса, чтобы огласить завещание. Нотариус читает: «Я, Лахман Исаак Давидович, находясь в здравом уме и твердой памяти, все деньги потратил перед смертью».

♦

– Рабинович, вы с ума сошли, зачем вы судитесь с больницей?! Они же вам жизнь спасли, и теперь вы совершенно здоровы!!!

– Какой там спасли! Посмотрите на этот шрам, они пустили меня на органы! Ой вэй, теперь я несчастный калека, а с моим аппендиксом теперь ходит какой-то здоровый олигарх!

♦

– Семен Маркович, вы с супругой недавно отпраздновали золотую свадьбу! Скажите, как вам удается столько лет преодолевать семейные конфликты?

– Когда я и моя жена расходимся во мнениях, мы обычно поступаем так, как хочет она. Сарочка называет это компромиссом.

♦

– Моня, как ты относишься к своей жене?

– Как к нашей власти. Немножко боюсь, немножко люблю, немножко хочу другую.

♦

Скромный еврейский парень пришел к сексопатологу и жалуется, что он только что женился и у него ничего не получается с молодой женой. Доктор просит рассказать, как он располагается в постели. Пациент говорит, что он лежит на правом боку, и ничего не получается.

Доктор говорит:
– Ну а вы лягте на левый бок.
Пациент:
– Что, лицом к маме?

♦

Спускается Изя с 3-го этажа и на 2-м встречает Абрама в трауре.
– Что случилось Абрам?
– Сара умерла…
– Как! Отчего же!?
– От рака….
– Боже мой! Это же ее любимая поза!..

♦

Одесса, базар:
– Я бы и за полцены не купила такую шубу. Посмотрите – вон мех лезет!
– Мадам, да за эту цену через пару лет у вас будет отличное кожаное пальто!

♦

– Здравствуйте, мсье Абрамович, как ваши дела?
– Помаленьку, мсье Гольдберг, а ваши?
– Тоже так потихоньку. У меня к вам интересное дельце. Для вас есть роскошная невеста –

молодая вдова, редкой красоты, очень серьезная. И невинная.

– Как невинная? Вы же сказали, что она вдова.

– Ой, одно слово что вдова, это было так давно, она уже все забыла.

♦

В картинной галерее еврей спрашивает генерала (картавя):

– Это кто, Сувогов?

Генерал (передразнивая):

– Да, это Сувогов, Сувогов…

Еврей:

– Зачем вы мне подражаете? Вы бы лучше ему подражали.

♦

Жил-был раввин, и очень он любил играть в гольф. И вот как-то в СУББОТУ не выдержал и пошел играть в гольф. Увидел это ангел с небес и обратил внимание Бога на это обстоятельство.

Бог говорит:

– Сейчас накажем.

Раввин бьет по шарику и попадает в лунку с одного удара. Ангел недоуменно восклицает:

– И это называется наказанием?!

– Ну да, кому он теперь об этом расскажет!?

♦

Приходит человек в адвокатскую контору «Рабинович-Брехер-Вайнштейн-Лидман-Кац и Иванов» и просит, чтобы его дела вел Иванов.

– Но почему не кто-нибудь из остальных компаньонов фирмы? – спрашивает его секретарь.

– Вы знаете, – говорит мужчина, – я как-то больше доверяю деловой хватке человека, сумевшего пролезть в такую тесную компанию…

♦

Старый еврей говорит своей жене:

– Сара, знаешь, если кто-нибудь из нас умрет, то я, скорее всего, уеду в Израиль…

♦

– Папа, а правда, что Иисус был евреем?

– Правда, доченька. Тогда все были евреями – время было такое.

♦

Вы слышали, Мойша вчера открыл на Дерибасовской ювелирный магазин!

– Да? И шо было?

– Да ничего… Сработала сигнализация, и за ним приехали…

♦

Два изрядно перепивших еврея ломятся в ворота женского монастыря, явно не понимая, где находятся. Из-за ворот на них кричат:
– Уходите отсюда! Здесь у нас Христовы Невесты, а вы кто такие?
– Мы? Родственники со стороны жениха!

♦

– Рядовой Рабинович, какие вы предпримите шаги, если окажетесь один на один с противником?
– Большие!

♦

Лейзерович читает газету: «... и тогда итальянский клуб выплатил Марадоне два миллиона долларов».
– Изя! – кричит он сыну, – что ты целый день сидишь над своими дурными задачками? Иди во двор и погоняй в футбол, как все нормальные дети.

♦

Рабинович на улице встречает Гольдберга.
– Сколько лет, сколько зим! Как ваши дела? Чем занимаетесь?

– Спасибо, потихоньку. Вот засел за мемуары.

– Пишете мемуары? Это замечательно. Кстати, вы дошли уже до момента, когда вы у меня 500 рублей заняли?

♦

Еврея запустили в космос. Он там вращается на орбите. Трубный голос Левитана: «Работают все радиостанции Советского Союза! Полет проходит нормально, все системы космического корабля работают в штатном режиме. Абрам Соломонович Финкельштейн ВПЕРВЫЕ чувствует себя ХОРОШО!!!»

♦

Один еврей пришел к раввину.

– Ребе, – сказал он, – у меня в жизни все плохо. Денег нет, у жены появился любовник, дети перестали слушаться, друзья предают… Что мне делать?

Ребе сказал:

– Напиши на листе бумаги «так будет не всегда» и повесь на стену.

Через неделю еврей опять пришел к ребе.

– Ребе! – сияя, закричал он. – Ты был прав! Жизнь наладилась! Как я могу тебя отблагодарить?

– Не снимай лист, – ответил ребе.

♦

После полета Гагарина в космос в паспортный стол приходит еврей:

– Здгавствуйте.

– Здравствуйте.

– Я таки хотел бы поменять фамилию.

– А какая у вас фамилия?

– Кацман.

– А какую бы вы хотели?

– Кацманавт!

♦

– Ой, Яшенька! Как ви себя имеете? Говорят, вы удачно женились? Кто познакомил вас с вашей женой?

– Я никого не виню…

♦

– Изя, я слышал, ты женился. Удачно?

– Да нет, окна во двор.

♦

Беседуют два одессита:

– Этот талантливый, блестящий молодой пианист – выходец из Одессы, из бедной еврейской семьи. Он с отличием закончил музыкальное училище в Одессе, с отличием – консерваторию в Москве, с отличием – аспирантуру в Вене. За это родители купили ему престижную квартиру в Париже и самый лучший рояль!

– Вы же сказали, что он из бедной семьи?!

– Я сказал, что он из бедной ЕВРЕЙСКОЙ семьи!..

♦

– Хаим, я слышал – вы женитесь!

– Таки да!

– И как вам ваша будущая жена?

– Ой, сколько людей, столько и мнений. Маме нравится, мне – нет.

♦

– Рабинович, ви страдаете от жары?

– Я страдаю всегда.

♦

Рабинович в суде. Он застал свою жену с мужчиной в постели. Судья спрашивает:

– Вы сказали, что неписаный закон оправдал бы вас за убийство любовника жены и что вы наставили на него пистолет, но не выстрелили. Почему?

– Ну, гражданин судья, когда я наставил свой пистолет на него, он спросил: «Сколько ты хочешь за оружие?» Мог ли я убить человека, когда он говорит о бизнесе?

♦

– Семен Маркович, дорого ли вам обходятся уроки Сарочки на фортепиано?

– Совсем таки наоборот. Они мне помогли за полцены купить соседнюю квартиру.

♦

Турист в Израиле спрашивает:

– Покажите мне то место, где евреи плачут.

Его отвели в налоговое управление.

♦

Мечта еврейского рыбака – поймать фаршированную Золотую рыбку.

♦

Еврейская мама готовит к жизни сына:

– Сынок! Первая жена у тебя должна быть хохлушка.

– Но почему? Я же еврей.

– Хохлушки красивые. Хохлушки вкусно готовят. Она из тебя сделает дородного мужчину. Потом ты разведешься и женишься на еврейке.

– Почему?

– Во-первых, ты еврей. Во-вторых, еврейка-жена – это связи и блат. И вот когда ты обзаведешься связями, положением в обществе, детьми, ты разведешься и женишься на цыганке.

– ?!

– Сынок, цыгане так красиво хоронят.

♦

– А вы знаете, что жизнь на Земле зародилась в Одессе?

– Как в Одессе?

– Ну так! «Авраам родил Исаака, Исаак родил Иакова…» И где это, по-вашему, было, в Воронеже?!

♦

Париж. Елисейские поля. На светофоре останавливаются 6-литровый «мерс», 607-й «пыжик» и велосипед. Водители увидели друг друга, удивление сразу же сменилось бурной радостью. Припарковались. Кинулись друг другу в объятия:

– Боже ж мой, – Сема, Ицык, Хаим, сколько лет, сколько зим…

– А помнишь Одессу, а помнишь наш двор...
– А тетю Песю, а управдома Исэра Пинховича...
– Вот это встреча! В ПАРИЖЕ!!! Нет, так расходиться нельзя, знаю тут один уютный ресторанчик, пошли посидим, пообедаем, наших вспомним.
Тут водитель велосипеда Семен замялся:
– Ой, ви знаете, это таки Елисейские поля, боюсь, здешний ресторанчик будет мне не по карману!
– Семен, ну что за условности между нами, ну не будешь кушать.

♦

– Значит так, Додик, прибыль будем делить 50 на 50.
– Семен Маркович, но я таки хочу 70!
– Ну хорошо, ты меня уговорил – 70 на 70!

♦

– Рабинович, сознайтесь, – это вы украли Фаберже.
– Никак нет, гражданин начальник, не украл, а вернул семейную реликвию.
– ???
– Видите ли, на самом деле это неоконченный скульптурный портрет моего деда Мони.

– Какой портрет, это же яйцо?!

– Согласен, я бы, например, начал с лица, но это же Фаберже…

♦

Аркаша, Миша, Роза и Сема рассказывают друг другу о том, кем они мечтают стать, когда вырастут.

– Я хочу стать известным одесским адвокатом, – заявляет Аркаша, – чтобы защищать моих бедных соотечественников.

– А я хочу быть членом Верховной Рады, – говорит Миша, – чтобы издавать законы, которые помогут моим бедным соотечественникам.

– Я хочу быть врачом, – признается Роза, – и лечить моих бедных соотечественников.

– А ты, Сема? Кем ты хочешь быть? – спрашивает Аркаша.

– Я таки хочу быть бедным соотечественником.

♦

Мойша поехал в Париж. Звонит жене и спрашивает:

– Сара, шо, Беню обокрали?

– Нет.

– А шо ж его Джоконда, которая у него на кухне висела, в Лувре делает?

♦

– Лев Абрамович, а вы что молчите? Выскажите свое мнение.

– Спасибо, нет. Еще скажу какую-нибудь глупость, а вы обидитесь.

– Так вы не говорите глупости, скажите что-нибудь умное.

– Ну тогда вы меня вообще возненавидите.

♦

– В Израиль тоже придет свиной грипп?

– Да, но это будет строго кошерная версия!

♦

В еврейской философии идут большие споры, когда начинается жизнь. Еврейские мамы в основном считают, что зародыш не может считаться жизнеспособным, пока он не закончил мединститут или юрфак.

♦

В одесском роддоме всеобщее возмущение: к еврейским роженицам врачи и персонал относятся явно лучше. Главврач обращается к скандалящим женщинам:

– Товарищи мамаши, будьте таки сознательными гражданками! У них продукция идет исключительно на экспорт!..

♦

Газетный киоск.

Бравый полковник:

– Мне «Известия» и «Еврейскую газету».

Киоскер, подавая газеты и высовываясь из окна:

– Ви что… из наших?

– Нет, я не из ваших.

– А почему ви интересуетесь таки еврейской прессой?

– Я ей вытираю задницу.

– А позвольте поинтересоваться, как давно ви это делаете?

– Полгода, а вам какая разница?

– Хотел бы дать таки совет, если ви и дальше какое-то время будете это делать, то ваша задница таки скоро станет умнее вашей головы.

♦

30-е годы, план ГОЭЛРО, Рабинович хочет устроится в Народный Комитет по связи и электрификации СССР. Ему пытаются отказать, но, чтобы это соблюдало какие-то приличия, говорят:

– Вот вам от советской власти 3 рубля и купите 50 км лучшего кабеля, вот тогда мы вас и примем на работу.

Проходит полгода. В Одесский порт приходит огромный пароход с 50 000 км кабеля.

Все в шоке, тащат Рабиновича к Наркому связи и говорят:

– Ну, рассказывайте, как вам это удалось???

Рабинович:

– Ну, поехал я в Америку в компанию «Дженерал Электрик» и говорю: «Я от советской власти приехал за 3 рубля купить 50 км кабеля!»

А они все давай смеяться и говорят:

– За 3 рубля ты можешь купить кабеля от кончика своего носа до кончика своего члена!

– Но они же не знали, что кончик моего члена лежит в Бердичевской синагоге!

♦

Абрамович во время визита в Израиль кладет записку в щель Стены Плача.

Голос из стены: «У меня столько нет!»

♦

– Сема, ты когда последний раз в оперном театре был?

– Да когда банкомат искал.

– А что смотрел?

– Какие-то глупые вопросы задаешь! Сколько денег на счете осталось!

♦

– Изя, а вам не кажется, что этот американский президент таки из наших?

– Что ви такое говорите, Абраша, он же ж таки натурально негр!

– Таки да, негр, но посмотрите, Изя, позавтракав в Москве в русском стиле, икрой и белугой, он московских гостей накормил таки простыми бутербродами.

♦

– Ребе! Мне нужны деньги! Так нужны деньги!

– Что случилось, Шлеме? У тебя беда?

– А что если у человека нет денег – это уже не беда?

♦

Очень язвительная дамочка приходит к старому ювелиру-еврею и просит снять с ее пальца кольцо. Тот долго мучился и полностью обессилев, сдался.

– Ну раз вы не можете справиться с таким пустяком, то хоть скажите мне, где я найду настоящих профессионалов, что смогут снять кольцо!?

На что тот ей ответил:

– Запросто, барышня… после полуночи в центральном парке…

♦

«Марш несогласных» в Одессе прошел без Эксцессов. Семья Эксцессов не пришла.

♦

– Сема, почему бы вам не жениться на Софочке? Ну, подумаешь – немножко косая!

– Немножко?! Да когда она плачет, у нее слезы текут по спине крест-накрест!

♦

Одесса. Сват приводит жениха в дом невесты. Пока они ждут появления семьи, сват шепотом говорит:

– Тут вы таки имеете приличный дом! Вы видите это серебро, хрусталь, майсенский фарфор?

– А кто мне докажет, что они не одолжили все это у соседей?

– Перестаньте! Какой дурак станет им одалживать!

♦

– Ну как тебе нравится, Моня женится на вдове!

– Фу, я бы в жизни не стал вторым мужем вдовы!

– Ты хотел бы быть ее первым мужем?

♦

– Скажите, какой состав населения Одессы в процентах?

– Десять процентов русских, десять – украинцев, остальные восемьдесят – местное население.

♦

Абрам после ухода гостей:

– Циля, ты заметила, твой любимый племянник Изя, между прочим, жрал не просто с аппетитом за трех дурных, но и с радостью на лице. Он вообще с детства имеет манеру неделю сидеть на диете, прежде чем пойти в гости.

♦

– Ну, Сема, что сказал графолог после изучения твоего почерка?

– Сказал, что я таки злой и агрессивный.

– Ну а ты?

– А шо я? Дал ему по морде за вранье!

♦

Одесса. Привоз.

– Да что ж у вас огурцы такие страшные?!

– Женщина, я вашу внешность в ответ не оскорбляю, хотя есть куда…

♦

Посреди Атлантического океана тонет лайнер. Капитан в панике, и тут ему сообщают, что среди пассажиров есть раввин, который может совершать чудеса. Его срочно приводят к капитану, и тот просит:

– Рабби, что можно сделать?

– Интернет есть?

– Есть!

– Продавайте корабль!

♦

В Одессе по Дерибасовской идет еврейская мама и ведет за руки двоих мальчиков. Их встречает знакомая:

– Здравствуйте, Сара Абрамовна. Какие милые крошки! И сколько им лет?

– Гинекологу шесть, а юристу четыре.

♦

Одесса. Привоз. В мясном ряду на прилавке два ценника «ноги свиные» с разными ценами.

Покупатель:

– А почему на ноги цены разные?

– Так вот это – ноги, а то – руки.

♦

Туристка интересуется у одессита, есть ли в городе пляжи.

– Ой, мадам, вы бы еще спросили, какой из них ближе всего к воде!..

♦

– Абрам, чем занимается ваш сын Зяма, который, помнится, в детстве проглотил вашу золотую монету?

– Теперь он в банке.

– Вы таки получаете с него проценты?

♦

Познакомились в поезде три еврея и рассказывают друг другу о себе.

– Я русский, – говорит Мойша.

– Я украинский, – говорит Натан.

– А я американский, – говорит Абрам.

♦

Одесса. 8 часов утра. Центральный вход в парк Шевченко. Пожилая супружеская чета совершает утренний променад. Навстречу двигается мужчина в пляжном костюме.

– Изя, ви по-прежнему так рано ходите на Ланжерон?

– Что ви, я по-прежнему так поздно возвращаюсь.

♦

Отец – дочери:

– Сарочка, ты шо, таки хочешь выйти замуж за футболиста Сему? И думать не смей позорить своих родителей!..

Тем не менее отец пошел с дочерью на матч «Черноморца», за который выступал ее избранник, и в перерыве говорит ей:

– Ладно, выходи за него замуж, судя по первому тайму, Сема не футболист.

♦

– Циля, твой муж бабник! Вчера я сама видела, как он выходил от любовницы.

– Ой, так что ему теперь там таки безвылазно надо сидеть?!..

♦

Сема пришел из школы и говорит родителям:

– Мама, папа, нам по математике задали задачу придумать!

Уходит в свою комнату и через полчаса выходит с задачей:

– Гусь весит 15 килограммов, а свинья – 100 килограммов.

– Семочка, в задаче должно быть не только условие, но и вопрос!

Сема снова уходит, через полчаса возвращается:

– Гусь весит 15 килограммов, а свинья – 100 килограммов. И шо?!

♦

– Абрам, что ты думаешь о сексе?

– Ой, Моня, не морочь мне голову! У меня шестеро детей – мне некогда заниматься теорией.

♦

Циля подымается на второй этаж к соседу-меховщику. Звонит в дверь.

Дверь открывается – на пороге Изя.

– Изя, скажите, вы таки меховщик?

– Да!

– Так зашейте своей кошке задницу, чтобы она не гадила у меня под дверью!

♦

Поссорился Изя с Мойшей.

Мойша, проходя мимо дома Изи и заметив последнего сидящим у окна, говорит:

– Люди, вы только посмотрите на этого урода – еще красуется из окна. Имея такое лицо, лучше бы уж ж…пу выставил – было бы приличнее.

– Уже пробовал, таки все прохожие сразу спрашивают: «Мойша, а шо это ви делаете там у Изи дома, вы же с ним поссорились?»

♦

– Рабинович! Ваша дочка уже вышла замуж?
– Таки нет!
– И шо так?
– Ой, она слишком умная, шоб выйти замуж за того идиота, шо согласится на ней жениться!

♦

Два вечно враждующих еврея встречаются в синагоге. Раввин говорит им:

– Сегодня Йом Кипур – день, когда надо просить друг у друга прощения и мириться.

Евреи жмут друг другу руки, и один проникновенно говорит:

– Мойша, я желаю тебе всего того, что ты мне желаешь.

– Хаим, ты опять начинаешь?!..

♦

Отец дочери:

– Сарочка, ну и сколько же зарабатывает твой новый ухажер?

– Ой, папа, он таки задавал мне этот же пошлый вопрос про вас с мамой…

♦

Посреди улицы разговаривают два одессита. К ним подходит третий. Долго молча слушает, затем резко разворачивается и, уходя, говорит:

– Ой! Та не морочьте мне голову…

♦

Одесское застолье. Столы ломятся. Один из гостей берет себе вазочку с икрой и начинает ее жадно есть. Ему вежливо говорят:

– Сема, ведь вы же не один здесь. Здесь еще много других уважаемых людей, которые тоже любят икру…

Тот, не переставая жевать, отвечает:

– Но вряд ли так же сильно, как я!

♦

– Рабинович, вам не кажется, что ваш попугай немного картавит?

– Ничего удивительного – у него и нос с горбинкой.

♦

– Скажите, реббе, а в шабат с парашютом прыгать можно?

– Прыгать можно, парашют открывать нельзя.

♦

Одесса. Молодой человек заходит в магазин головных уборов. Долго выбирает и наконец говорит:

– Дайте мне посмотреть вон ту кепочку.

Старый еврей за прилавком поворачивается и дает товар, после чего отворачивается от покупателя и продолжает заниматься каким-то своим делом. Покупатель примеряет кепку, смотрится в зеркало. В это время еврей поворачивается опять к прилавку и так испуганно говорит:

– А де етот жлоб, шо просил у меня кепочку?

Покупатель, охренев:

– Так это я…

Продавец:

– Граф, вилитый граф, шоб я так жил!

♦

Одесса. Абрам приходит к своему соседу и обращается с просьбой:

– Мойша, у меня дома будет обыск, подержи в своем сейфе все мои деньги.

Сосед:

– Жена, дети сюда! Видите, сосед пришел, деньги принес, я их взял, пересчитал, в сейфе закрыл!

Жена и дети:

– Да, да видели.

Мойша отправляет жену и детей по своим делам, Абрам уходит. Через неделю Абрам вновь приходит к соседу.

Абрам:

– Мойша, спасибо тебе, обыск у меня прошел, ничего не нашли, верни, пожалуйста, мои деньги.

Мойша:

– Жена, дети сюда! К нам сосед неделю назад приходил?

Жена и дети:

– Нет!

– Деньги приносил?

– Нет!

– Я их брал, пересчитывал, в сейф ложил?

Жена и дети:

– Нет! Нет!

Мойша опять отправляет всю семью по своим делам, а сам открывает сейф и отдает все деньги Абраму.

Абрам, недоумевая:

– А спектакль зачем?

Мойша спокойным ровным голосом отвечает:

– Видишь, с какими сволочами приходится жить!

♦

– Мама, Лева мне вчера сказал, что я самая интеллигентная девушка в Одессе. Может, стоит пригласить его домой?

– Ни в коем случае! Пусть он продолжает так думать.

♦

Семейная пара эмигрировала из Одессы в Нью-Йорк…

Проходит дней десять, и глава семьи звонит своему другу в Одессу:

– Сема, ми в раю! Сема, ми на Брайтон-Бич! Позавчера ми с Софкой были в ресторане…

Ми на пятнадцать долларов обожрались… форшмак, печеночка с луком, моченые арбузы… Здесь все наши: Люсик с 7-го фонтана, Циля с Молдованки…

Сема кричит в трубку:

– А как там Америка?

– А хрен ее знает… Ми туда не ходим!

♦

Одесса, еврей встречает друга и говорит:

– Я своей Саре решил сделать подарок ко дню рождения. Подарю ей колье из жемчуга!

– Она у тебя вроде о «Мерседесе» мечтала.

– Ну где же я ей искусственный «Мерседес» возьму?

♦

Пожилая женщина из Бруклина готовит завещание и обращается к раввину за советом:

– Ребе, у меня только два пожелания, которые я хочу, чтобы вы сообщили моим детям после моей смерти. Я хочу, чтобы меня кремировали, – это раз. И чтобы мой прах развеяли над торговым центром, – это два.

– Но почему над торговым центром?

– Так я хоть буду уверена, что дочери будут навещать меня два раза в неделю.

♦

Телефонный звонок в квартире Моисея Яковлевича Каца. На том конце провода милый женский голос:

– Простите, это квартира Ивана Сергеевича Петрова?

– Вы даже себе не представляете, девушка, как сильно вы ошиблись номером!

♦

Одесса. Послушай, Изя! А вот если у тебя было бы два «Мерседеса», ну таких, самых крутых, со всеми наворотами, знаешь, бар внутри, и все такое – ты бы мне дал один?

– Семчик, дорогой! Сколько мы уже с тобой знакомы? Тридцать лет? Мы же с тобой друзья со школы. Так чего ты спрашиваешь? Конечно, если бы у меня было бы два таких «Мерседеса», один был бы точно для тебя!

Идут дальше. Опять Сема поворачивается:

– А вот, Изя, представь, что у тебя две шикарные яхты, совершенно одинаковые. Ты бы одну мне дал?

– Семчик, ну что ты задаешь такие вопросы? Мы же с тобой как братья, ты у меня свидетелем на свадьбе был, и на бармицве у моего сына, и вообще… Конечно, если бы у меня было бы две яхты, одну я тебе бы отдал!

Дальше идут… Вдруг опять Сема поворачивается:

– А представь, Изя, что у тебя было бы две курицы…

– Сема, ну это уже нечестно. Ты ведь знаешь, что у меня есть две курицы…

♦

Еврейская жена наверняка самая красивая. Если нет – наверняка самая умная. Если нет – наверняка самая больная.

♦

Совместное российско-израильское предприятие «С гоем пополам».

♦

Разговаривают два еврея:

– Рабинович, почему вы ведете дела с Ивановым, а не со мной, он же гой необрезанный!

– Ой, Мойша, евреем надо быть в голове, а не ниже пояса.

♦

– Сара, разве ваша дочь вышла замуж?

– Что вы, с чего вы взяли?

– Посмотрите, она сидит у окна и кормит грудью ребенка.

– Ну и что? Если у девушки есть свободное время и молоко, почему бы ей не покормить ребенка?

♦

Одесса. Революция. Стук в дверь квартиры. Открывает женщина, на пороге два террориста.

– Мы у вас в окне поставим пулемет.

– Ставьте хоть пушку, но что скажут люди? У меня взрослая дочь, а из окна стреляют совершенно незнакомые мужчины!

♦

Древние киргизы ничего не знали о существовании евреев, поэтому все происходившие с ними беды относили на счет темных сил природы…

♦

Приходит католический пастор к парикмахеру. Постриг тот его, пастор спрашивает:

– Сколько с меня?

– Нисколько, Ваше Преподобие, я с католических пасторов денег за стрижку не беру, – ответил парикмахер.

Приятно удивленный пастор удалился. На другой день приходит парикмахер и видит под дверями своей парикмахерской двенадцать бутылок лучшего монастырского вина.

Через несколько дней приходит православный поп к парикмахеру.

Постриг парикмахер и его. Поп спрашивает:

– Сколько я вам должен, голубчик, за стрижку?

– Да нисколько, батюшка. Православных священников стрижем бесплатно.

И батюшка тоже удалился, пораженный бескорыстием парикмахера. На следующее утро тот нашел у дверей своей парикмахерской двенадцать бутылок водки.

Еще через несколько дней приходит раввин.

Постриг его парикмахер, а раввин и спрашивает:

– Сколько вам заплатить?

– Да нисколько, уважаемый ребе. Раввинов мы стрижем бесплатно.

Раввин, обрадованный таким оборотом дела, ушел. На следующее утро парикмахер нашел у дверей своей парикмахерской двенадцать раввинов.

♦

– Я целый год работаю только с убытком!

– Почему же ты не закрываешь дело?

– А на что тогда жить?

♦

– Рабе! Мой сын – самый отъявленный хулиган! Он никого не слушает. Его невозможно наказать, он ничего не боится! Помогите мне его приструнить, умоляю!

Ребе подумал и взял сына к себе на три дня. Но в тот же день он его вернул со словами: «Заберите своего гаденыша!» Тогда отец отвел мальчика к старейшине. Но ситуация повторилась. Тогда измученный отец отдал его батюшке. Мальчика не вернули ни вечером, ни через три дня. Через неделю отец приходит и видит, что его сынуля знает все молитвы, ходит на каждую службу, бьет поклоны, чистит, моет и убирает практически весь приход и вообще ведет себя как агнец Божий.

– Сына! Что с тобой сделали? Неужели ты стал православным? Тебя били? Чем они тебя так напугали?

– Папа, какое били! Просто когда я пришел в церковь и увидел, что ОНИ распяли нашего, я понял, что они не шутят!

♦

Начинается война. Еврей причитает:

– Боже мой! Как всего много сделать нужно. Жену с ребенком в Америку отправить, бизнес продать, в Швейцарию деньги перевести.

И самому в Англию успеть нужно… Рядом стоит русский:

– Да… И у меня проблемы…

– Да какие у тебя могут быть проблемы??! Взял винтовку – и на фронт!

♦

– Алло, это Давид Абрамович Рахмансон?

– Нет, это Иван Петрович Сидоров.

– А это 232-4546?

– Нет, это 232-4547.

– Надо же, только в седьмом знаке ошибка, а такая разница…

♦

Старому Рабиновичу все надоело. Он решил уйти на пенсию и оставить свой бизнес (по производству гвоздей) своим трем сыновьям. Сыновья решили, что они могут значительно увеличить доходы, если улучшат рекламу. Не прошло и недели, как старый Рабинович, как обычно в воскресенье, проехался окрестностями города и вдруг заметил необычный рекламный плакат. На нем был изображен Иисус Христос на кресте и надпись:

«ГВОЗДИ ДЛЯ ЛЮБЫХ ЦЕЛЕЙ! ПОЛЬЗУЙТЕСЬ ГВОЗДЯМИ РАБИНОВИЧА!»

Старый Рабинович решил немедленно встретиться с сыновьями и высказать им свои замечания. Он объяснил им, что такая реклама может быть очень опасной. Это может разрушить компанию. Сыновья согласились с его точкой зрения и решили такую рекламу прекратить. Через неделю, когда старик снова наслаждался своей воскресной автопрогулкой, на глаза ему попалась реклама. Та же картина, тот же крест, но пустой. Христос лежит под ним на земле, а на рекламе надпись:

«В СЛЕДУЮЩИЙ РАЗ – ПОЛЬЗУЙТЕСЬ ГВОЗДЯМИ РАБИНОВИЧА!»

♦

– Абрам! Ты о чем думаешь?
– Я думаю: а зачем?
– Что зачем?
– А зачем в слове «Мойша» буква ры?
– Так в слове «Мойша» нету буквы ры!
– А если ее туда поставить?
– А зачем?
– Так вот и я думаю: а зачем?

♦

Еврейские похороны:
– Мойша, вы таки тоже поскорбить?
– Таки нет, я просто удостовериться.

♦

– Благодарим вас за то, что вы выбрали израильскую авиакомпанию «Эль-Аль». Просьба не отстегивать ремни, не вставать и не включать мобильные телефоны до полной остановки самолета.

Тех, кто сидит, поздравляю с Рождеством и желаю приятно провести время в нашей гостеприимной стране. Тех, кто стоит в проходе и разговаривает по мобильным телефонам, поздравляю с Ханукой! Добро пожаловать домой!

♦

– Вы еврей по матери или по отцу?
– Я еврей по жизни!

♦

В магазин приходит маленький Мойша.
– Мне три литра меда, – протягивает он банку продавщице. Та наливает полную банку.
– А папа завтра придет и заплатит.
– Ну нет, – забирает у него банку продавщица и выливает обратно мед.
Мойша выходит на улицу и заглядывает в банку:
– Папа был прав, тут хватит на два бутерброда.

♦

– Розочка, вы хотите работать у нас машинисткой, но не умеете даже заправить ленту.

– Ну и что с того? Рихтер, между прочим, тоже не умеет настраивать свой рояль.

♦

Местный и приезжий евреи стоят у могильной плиты с надписью «Неизвестному еврейскому солдату». Приезжий сокрушается:

– Никак нельзя узнать, кто здесь лежит?

– Почему нельзя? Все знают, что здесь лежит Хаим Рабинович.

– Так при чем здесь неизвестный солдат?!

– Точно не известно, был ли Хаим Рабинович солдатом.

♦

Едут в купе два еврея. Старый думает: интересно, куда едет мой сосед? Еврей может ехать либо в Одессу, либо в Жмеринку. Он не может ехать в Одессу, так как он слишком молод. Значит, он едет в Жмеринку. В Жмеринку можно ехать на похороны или на свадьбу. Насколько я знаю, в Жмеринке никто пока не умер. Значит, он едет на свадьбу. У него нет подарка, значит, он едет на свою свадьбу. В Жмеринке можно жениться на Софе или на Сарочке. Насколько я знаю, Сарочка уже вышла замуж. Но на Софе может жениться только полный идиот!

К молодому соседу:

– Простите, вы не сын Рабиновича?

– Да, а как вы догадались?

– Я не догадался, я вычислил!

♦

– Рабинович, почему вы продаете водку «Абсолют» по десять, когда у Меерсона она стоит пять?

– Ой, мне нравятся эти вопросы! Пойдите и купите водку «Абсолют» у Меерсона!

– Но у Меерсона как раз сейчас нет водки «Абсолют»!

– Ну так когда и у меня не будет водки «Абсолют», я сразу буду продавать ее по пять!

♦

Разговаривают два еврея:

– Изя, я что-то никак не пойму, мы с тобой в одно время начали бизнес, в одно время открыли заводы по производству водки, в одно время выпустили водку со своей фамилией в качестве названия на этикетке. Таки твою водку берут очень неплохо, а моя стоит на полках и пылится. В чем секрет?

– А у тебя как фамилия?

– Кацман.

– Ну вот видишь, у меня-то фамилия – Флагман!

♦

Директор школы входит в класс и объявляет:

– Файнштейн, Буберман и Иванов по матери! Завтра в школу не приходите – будет арабская делегация!

♦

– Софочка, это правда, что ваш брат все еще сидит в тюрьме за кражу?

– Нет. Его досрочно выпустили за хорошее поведение!

– Представляю, как вы им все гордитесь.

♦

Пообещал дедушка Мойша купить внуку шоколадку. Приходит домой.

– Деда, ты купил шоколадку?

– Нет, внучек, сегодня некогда было.

На другой день приходит.

– Деда, ты купил шоколадку?

– Нет, внучек, магазин был закрыт.

На следующий день приходит.

– Деда, ты купил шоколадку?
– Не было шоколада. Только чупа-чупсы.
– Так хотя бы чупа-чупс купил бы.
– Запомни, внучек, пока дедушка Мойша жив, ты будешь кушать только шоколад.

♦

Евреи – парадоксальный народ.
Рождаются в России и уезжают на родину.

♦

– Я презервативами не пользуюсь – у меня клаустрофобия!
– Ха! Клаустрофобия! Вот нашего Моню хоронили, так он три раза из гроба выпрыгивал – вот это клаустрофобия!

♦

– Роза Моисеевна, вы не против поужинать вместе?
– С удовольствием, Наум Лазаревич!
– Тогда у вас ровно в восемь.

♦

– Я, папа, сейчас работаю в консерватории, кругом одни евреи, так надоело.

– Сынок, а ты у себя на работе токарный станок поставь.

– Не поможет.

– Еще как поможет. За тридцать лет работы на заводе к нам в токарный цех ни один еврей не заглянул.

♦

– Изя, а вы верите во второе пришествие?

– Эх, Фима. И к кому сюда ходить? И на шо таки тут смотреть?

♦

Армия Обороны Израиля (ЦАХАЛ) всерьез задумалась о защите своих солдат от похищений. Предложено создать Армию Обороны Армии Обороны Израиля.

♦

Еврей угощает своего гостя жареной картошкой, приговаривая:

– Ешьте, не стесняйтесь! Она собственного производства.

– Но у вас же нет огорода!?

– Мы с женой купили себе место на кладбище, но никому из нас оно пока еще не понадобилось. Вот я и сажаю там картошку.

♦

Еврейское кладбище. В самом центре за очень красивой оградой стоят три красивых памятника.

На одном написано – «Здесь покоится самый известный наперсточник Семен Либерзон».

На другом – «Или здесь», на третьем – «А может, здесь».

♦

– Исаак Соломонович, только вчера вы выдали мне пиджак, а сегодня спина лопнула.

– Вот видите! Я же говорил, что пуговицы пришиты крепко!

♦

Изя говорит Абраму:

– Я заболел, но к врачу не пойду: слишком дорого.

– Абрам, я советую тебе сходить к доктору Давиду: он за каждый последующий визит берет лишь половину.

Послушавшись совета, Абрам идет к доктору Давиду и говорит:

– Здравствуйте, доктор. Я опять к вам…

♦

По достигнутому соглашению Россия будет продавать Украине газ по 230 долларов, а Украина будет покупать его у России за 95 долларов. Когда об этом узнали в Израиле – Шарона хватил удар.

♦

Пассажирский рейс. Капитан самолета – еврей, старший лейтенант – китаец. Летят вместе впервые, понятное дело, что друг друга не знают и смущаются.

Взлетели, летят полчаса, не разговаривают… Вдруг еврей заявляет:

– Не люблю китайцев…

Китаец обижается:

– Почему?

– Да вы же Жемчужную гавань бомбили, за что вас любить?

– Дык это ж не мы, это японцы!

– Ой, японцы, китайцы, корейцы – все вы, узкоглазые, одинаковы…

Летят дальше. Еще через полчаса китаец решает отомстить:

– Не люблю евреев!

– Не понял?! За что???

– А вы «Титаник» потопили!

– ??? НЕТ! Это был айсберг!

– Ой… Айсберг, Голдберг, Розенберг – все вы, евреи, одинаковы!

♦

Умирает старый еврей и говорит жене:

– Розочка, золотко, положи мне, пожалуйста, в гроб Тору, Библию и Коран.

– А зачем, Абраша?

– Да так, на всякий случай, Розочка, на всякий случай…

♦

Умирает старый еврей. Был он известен тем, что лучше всех в квартале заваривал чай. Но никому никогда не выдавал своего секрета. Вся семья волнуется: неужели секрет пропадет? Наконец после долгих просьб умирающий шепчет на ухо любимому сыну:

– Кладите больше заварки!

♦

В результате землетрясения два еврея оказались заваленными в подвале. Спасатели из Красного Креста разгребают руины, чтобы их освободить. Их разделяет уже только одна стена. Один из спасателей стучит молотком по этой стене. Оттуда слышится голос:

– Кто там?
– Красный Крест.
– На Красный Крест мы уже давали.

♦

– Изя, когда я смотрю, как ви работаете, я вспоминаю за вашу маму.
– А шо, вы таки знали мою маму?
– Да, теперь знаю, и довольно близко.

♦

Лежат и постели старые еврей с еврейкой.
– Абрам ты мне изменял?
– Только один раз.
– Вот этот один раз нам сейчас очень бы пригодился!

♦

Немецкие ученые открыли секрет стремительного развития Китая: как показали исследования – там нет евреев!

♦

– Как вылечить еврея от заикания?
– Заставить его позвонить в Америку.

♦

Мальчик подходит к папе и спрашивает:
– Папа, а мы русские или евреи?
– А тебе зачем это знать?
– Да у нас во дворе мальчик велосипед классный продает. Вот я и думаю, мне поторговаться и купить или скомуниздить и поломать?

♦

Сидит еврей. К нему подходит такой же и спрашивает:
– Почему ты плачешь, Мойша?
– Понимаешь, я купил два лотерейных билета и выиграл машину.
– Так что ты плачешь?
– А зачем я второй билет покупал?!

♦

На перекрестке столкнулись четыре машины: пожарная, милицейская, военная и «скорая помощь». Кто из них виноват? Виноваты, конечно, евреи.

♦

Российский еврей ведет с сыном воспитательную работу.

– Сынок, ты уже взрослый, тебе уже восемнадцать.

– Да, папа.

– А ты знаешь, сынок, что есть такая профессия – Родину защищать.

– Знаю, папа.

– Так запомни, сынок. ЭТО НЕ НАША ПРОФЕССИЯ!

♦

– Берта Исааковна, вы еврейка?

– А почему я должна быть еврейка?

– Ну вы ведь Исааковна…

– Так что же, по-вашему, Исаакиевский собор – это синагога?

♦

Изменения в Правилах дорожного движения: первое нарушение – прокол в паспорте, второе – второй прокол, третье – в пятом пункте пишут «еврей».

♦

Три еврейки на рынке обсуждают новый бордель через дорогу. В числе прочих посетителей в бордель заходит православный священник.

– Ай-я-яй, – качают головами еврейки, – что таки делается с духовенством.

Через некоторое время в бордель заходит католический ксендз.

– Ай-я-яй, – причитают еврейки, – нет, вы только посмотрите, что делается с духовенством в наши дни. Никакого стыда!

Через некоторое время на улице появляется раввин и, воровато оглянувшись, проскальзывает в бордель.

– Ай-я-яй, – огорченно вздыхает одна из евреек, – какой-то из девушек, наверное, совсем плохо.

♦

Звонит еврей в «03»:

– Алло, «скорая»? Перезвоните, а то я с мобилки!

♦

Объявление: продается немецкая овчарка из приличной еврейской семьи.

♦

Застойные годы, старый еврей, потратив много месяцев и обив пороги сотен кабинетов, уезжает в Израиль. Контейнер уже отправлен, сам стоит перед турникетом таможни, Земля обетованная, в руке – чемоданчик, на плече –

любимый попугай. Таможенник, проверив в последний раз документы, поднимает глаза и говорит:

– Гражданин! Живых птиц через границу провозить нельзя. Можно только тушкой или чучелом.

Еврей задумался. Попугай орет ему:

– Абрам! Хошь тушкой, хошь чучелом – но вывози!

♦

В Одессе – эпидемия холеры. В холерном бараке старый еврей подзывает доктора:

– Ой, я таки умираю… Позовите, пожалуйста, священника…

– Вы хотите сказать – раввина?

– Нет-нет… священника…

Позвали ему священника из ближайшей церкви, еврей диктует завещание:

– Так как жена моя умерла, а детей у нас нет, завещаю все свое состояние синагоге – половину на нужды бедных, половину – на ее собственные нужды…

Свидетели расписались, священник ушел. Доктора разбирает любопытство.

– Скажите, а все-таки почему вы позвали священника? Почему не раввина?

Больной смотрит на него широко открытыми глазами.

– Доктор! Ну шо вы такое говорите?! Ребе – в холерный барак!!!

♦

– Знаете, почему на еврейской свадьбе жених не может поцеловать невесту?

– Почему?

– Потому что рядом с женихом сидит его мама и все время твердит ему: «Кушай! Кушай!»

♦

Два еврея заходят в сауну и тут же ошпаренные выскакивают из парной. Температура запредельная.

Идут жаловаться к директору – мол, невозможно терпеть.

– Вы уж простите нашего нового банщика. Он только осваивает температурный режим. Все руку никак не набьет – пару дней, как перевелся из крематория…

♦

Еврей и итальянец беседуют.

Говорит итальянец:

– Римляне, когда копали землю, нашли кусок проволоки. Выяснили, что в Древнем Риме была телефонная линия.

Еврей:

– Еще раньше римлян наши копали и ничего подобного не нашли. Это значит, у нас был радиотелефон.

♦

Еврейская семья возвращается из пригорода в Нью-Йорк, отец останавливает такси:

– Сколько стоит проезд до центра Нью-Йорка?

– С вас и жены по 20 долларов, а детей повезу бесплатно.

– Яша, Лева, Сара, Циля, лезьте в машину, а мы с мамой прогуляемся пешком.

♦

Встречаются русский, американец и еврей:

Американец говорит:

– Давайте у меня соберемся, я закуски соберу (перечисляет всякие изысканные блюда)…

Русский говорит:

– Тогда я с ящиком водки приду!!!

Еврей:

– Ну а я – с братом!

♦

Самурай хотел сделать себе харакири, но промахнулся… Пришлось стать евреем!

♦

На стройке русский и еврей носят кирпичи. Еврея спрашивают:

– Почему русский носит по шесть кирпичей, а ты по одному?

– Так русский ленивый.

– ???

– Ему лень лишний раз сходить.

♦

Жена-еврейка – не роскошь, а средство передвижения.

♦

По деревне бегали евреи, пугая прохожих своими обрезами…

♦

Абрам спрашивает у жены, где сахар.

– Сахар лежит в банке из-под кофе, на которой написано «соль». Но сейчас там его нет.

♦

– Рабинович, ты слышал новость?

– А что такое?

– В зоопарке родился слоненок.
– А как это может отразиться на евреях?

♦

Гость на обеде у еврея. Еврей:
– Вы возьмите еще кусочек мяса.
– Спасибо, я уже съел два кусочка.
– Вообще-то четыре, да вы кушайте, кто же считает.

♦

– Рабинович, вы помните Хаима? Так он таки умер.
– Как? Ведь он был молод. И от чего же?
– Говорят, от голода.
– И он не мог обратиться за помощью? Ему помог бы любой житель нашего города.
– Гордый был очень, стыдился обращаться за подаянием.
– Так и говорите: умер от гордости. Еврей не может умереть от голода.

♦

Беременная еврейка пришла к гинекологу. Он ее осмотрел:
– У вас неправильно расположен плод: он повернут.

– Доктор, что же мне делать?
– Отец ребенка тоже еврей?
– Да.
– В таком случае не волнуйтесь: ребенок выкрутится.

♦

Умер старый еврей. Вскрыли его завещание, читают:

«Дочке моей, Сарочке, оставляю 100 тысяч долларов и дом. Внучке моей, Ривочке, оставляю 200 тысяч долларов и дачу. Зять мой Шмулик просил меня упомянуть его в завещании. Упоминаю: привет тебе, Шмулик!»

♦

Группа евреев на экскурсии. Экскурсовод:
– А теперь, если вы хоть на минуту замолчите, то услышите шум Ниагарского водопада.

♦

Семья: папа негр, мама еврейка. Сын подбегает к маме:
– Мама, я негр или еврей?
– Отстань, что за глупые вопросы!
– Папа, я негр или еврей?
– Что за глупости! А почему ты спрашиваешь?

– Да, за углом пацан велик продает за 100 долларов. Так я думаю, что лучше – сторговать его за 50 или набить ему морду и забрать за так?

♦

Некультурно говорить подЖИДать, надо – подъЕВРЕИвать!

♦

Встречается еврейская молодежь, хвастается обновками.

– Смотрите, какие у Мони часы! Где взял?

– Отец перед смертью продал.

♦

Старинная еврейская народная мудрость:

На халяву – все кошерно.

♦

Еврей с сыном в театре купили дешевые билеты на балкон. Сынишка перегибается через перила и падает с балкона в партер. Лежит на стульях весь в крови.

Отец кричит:

– Хаим, сынок! Уйди скорее с этих дорогих мест!

♦

Приходит еврей к раввину и говорит:

– Как мне сына записать? Запишу на год раньше – раньше в армию заберут, на год позже – позже в школу пойдет… Что делать!? Что делать?!

– Так запиши его так, как есть.

– Да? А мне это и в голову не пришло!

♦

Решил еврей жениться на русской. Ему товарищи и говорят:

– Зачем ты это делаешь? Лучше женись на еврейке красивой…

– Так ведь еврейки болеют…

– А русские разве нет?

– Но русских не так жалко…

♦

Старый еврей-фотограф с обезьянкой на одесском пляже. Подходит бритоголовый крепыш:

– Слышь, дед, это… С обезьянкой сколько стоит?

Фотограф внимательно смотрит и после паузы переспрашивает:

– Сфотографироваться?

♦

Идет расследование по поводу сбитого Украиной самолета, летевшего из Израиля в Россию. Ищут виноватых.

Израильтяне говорят:

– Нет, мы тут ни при чем. Полный самолет наших граждан. Нет, мы чистые!!!

Русские:

– Мы тоже ни при чем. Наш самолет, наш экипаж. Мы не виноваты.

Украинцы:

– Москальский самолет?! Полный евреев?! Не-е-е-е, не мы.

♦

Беседуют грузинская и еврейская кошки:

– Мяу, да?

– Таки, мяу!

♦

Однажды Мюллер придумал замечательный способ узнать, какой же все-таки Штирлиц национальности. Он решил пригласить его в гости и понаблюдать, как тот уйдет: если не попрощавшись, значит, англичанин. Если выпив все спиртное, перебив посуду и совратив хозяйку, – русский, если найдя и съев все сало, –

украинец. Но когда Штирлиц вообще не ушел, а стал жить у Мюллера, постепенно перетаскав к нему свои вещи, группенфюрер наконец догадался, что Штирлиц – еврей.

♦

Два еврея стоят в очереди в банке. Туда врывается вооруженная банда, чистит кассы, после чего начинает отбирать у клиентов кошельки и драгоценности. В этот момент один еврей тайком сует что-то в руку другому.

– Мойша, что это ты мне суешь?

– Это пятьдесят баксов, которые я тебе был должен.

♦

Приличная еврейская компания играет в преферанс. Вдруг Рабинович наклоняется к столу и умирает. Что делать? Нужно как-то семье сообщить. Решили, что пойдет Мойша и интеллигентно, спокойно сообщит о случившимся. Подходит Мойша к двери, звонит.

– Кто там?

– Скажите, ваш Рабинович дома?

– В карты пошел играть, чтоб он сдох!

Мойша вздыхает и интеллигентно говорит:

– Уже…

♦

Объявление в еврейской бане:

«Если у вас упало на пол мыло… администрация ответственности не несет».

♦

У подъезда встречаются два еврея. Изя говорит:

– Ты знаешь, Абрам, я вчера видел, как с тебя возле дома снимали дубленку…

– Так почему же ты не подошел?

– А я подумал: «Зачем им еще одна дубленка?»

♦

Еврей приходит на корабль устраиваться матросом. Его знакомят с членами экипажа:

– Это боцман, это штурман, это мичман…

– Ба! Да тут же все свои! Моя фамилия Кацман!

♦

– Погода паршивая!

– Это из-за Гольфстрима.

– Он еврей?

– Нет. Течение.

– Масонское?

– Океаническое.

– Из Израиля?

– Нет. Из Америки.

– Так я и знал. У них, у евреев, небось, солнышко светит, а мы тут гнить должны.

– Да нет. Там сейчас ночь.

– А ты откуда все знаешь? Ты что, еврей?

♦

Еврей вытаскивает из моря Золотую Рыбку. Она на него внимательно смотрит. Спрашивает:

– Еврей?

– Таки да.

– Лучше зажарь.

♦

Из Тбилиси в одном вагоне едут пятеро грузин и пятеро евреев. Пятеро грузин купили пять билетов. Пятеро евреев купили один билет. Заходит в вагон контролер. Грузины показывают билеты. Евреи бегут в туалет и закрываются. Контролер стучит в дверь, дверь приоткрывается.

– Ваш билет!

Высовывается рука, подает билет.

– Все в порядке, спасибо!

Дальше делают пересадку. Грузины покупают один билет, евреи – ни одного. Едут.

Заходит контролер – грузины бегут в туалет, евреи – за ними. Стучатся в дверь:

– Ваш билет!

Открывается дверь, высовывается рука с билетом, евреи берут билет, бегут в другой конец вагона, в другой туалет.

♦

Два еврея входят в троллейбус.

– Хаим, ты уже взял билет?

– Нет, я еще не получил разрешения.

♦

Еврей приходит к раввину и говорит:

– Моя жена за этот год родила троих детей, что делать?

Тот читает священную книгу – «Еврею, чья жена родила больше 2 детей за год, нужно отрезать одно яйцо»... так и сделали. Через год он снова приходит и говорит, что жена родила за год еще двоих.

Раввин читает книгу – «Еврею, которому отрезали одно яйцо, а его жена родила еще более одного ребенка, нужно отрезать второе яйцо»... так и поступили... Прошел год. Еврей снова возвращается и говорит, что жена снова родила ребенка.

Раввин находит в книге нужную страницу: «Если еврею отрезали яйца, а его жена все равно рожает, то яйца отрезали не тому еврею»!

♦

– Как приготовить заливного осетра?

– Берешь минтая и заливаешь, что это осетр.

♦

Приходит еврей в поликлинику с огромным ведром. Охранник у него спрашивает:

– Что это ты принес?

Еврей отвечает:

– Анализ мочи пришел сдавать.

– А почему так много?

– А чтобы не говорили, что евреи жадные!

Через 10 минут еврей идет обратно с тем же ведром.

Охранник снова удивляется:

– А теперь куда?

Еврей отвечает:

– Да вот, в моче сахар нашли – не пропадать же добру!

♦

Вовочка приходит домой и говорит:

– Бабушка, я женюсь!

– На ком же, Вовочка?
– На Боре.
– На Боре нельзя, Боря еврей!

♦

Приходит еврейская семья, проживающая в России, к батюшке и говорит:
– Мы хотим назвать нашего сына Срулем.
– Нет, я этого сделать не могу.
– Но как же так, почему?
– Нет, и все – вера не позволяет.
– Мы вам заплатим, только…
– Хорошо, называю сего отрока Акакием.

♦

Вопрос:
Почему евреи делают обрезание?
Ответ:
Место в трусах экономят!

♦

Летят в самолете американец, француз, араб и еврей. Самолет загорается, а парашютов всего три.

Американец говорит: «Моя страна – самая демократичная в мире, я обязан спастись!» Хватает один и вываливается.

Араб говорит: «Мой народ – самый умный!» Быстро хватает другой и вываливается.

Еврей протягивает парашют французу. Тот восхищается, мол, ты отдаешь мне последний парашют, жертвуешь собой и т. п…

– Да нет, – говорит еврей, – просто самый умный со спальным мешком прыгнул…

♦

Разговор двух евреев:

– Что ты делаешь?

– Я учу алфавит Брайля для слепых…

– А зачем это тебе? У тебя что – ухудшается зрение?

– Нет… Просто я смогу читать, не включая электричества.

♦

Выходит дочка Рабиновича замуж за религиозного еврея. Накануне свадьбы встречается она с раввином. Он ей говорит:

– Еврейская религия очень своеобразна. Мужчина и женщина все делают раздельно. Синагогу посещают отдельно, даже танцевать вместе нельзя.

Она (опустив глаза):

– А сексом заниматься можно?

– Можно.

– А оральным?
– Можно.
– А на боку?
– Можно.
– А сидя?
– Можно.
– А стоя?
– Нельзя.
– Почему???
– Может в танец перейти.

♦

40 лет выводил Моисей евреев из Египта. А вот тех, что в пустыне отстали, теперь называют арабами.

♦

Еврейская семья в театре. На сцене «Евгений Онегин». Жена будит мужа:
– Изя, пока ты спал, Ленский послал Онегину вызов.
– И что, Онегин едет?

♦

Еврейский мальчик первый раз побывал в цирке, пришел домой и с восхищением рассказывает маме:

– Мама, все так здорово было! И акробаты, и фокусник, и дрессировщик с тиграми, и клоуны смешные. А во втором отделении гонщик на мотоцикле по стенкам ехал! Я, когда вырасту, тоже научусь ехать на мотоцикле и буду показывать такой аттракцион!

Мудрая мама отвечает:

– Боренька, еврей на мотоцикле – это уже аттракцион, зачем еще по стенкам ехать?

♦

Училка проверяет у детсадовцев домашнее задание:

«Описание домашних объектов религиозного культа». Негритянский мальчик:

– У нас во дворе стоит статуя какой-то тети с золотым кружком над головой, на руках у нее бэби. Моя мама ежедневно стоит перед ней на коленях и тихо молится.

Китайская девочка:

– А у нас дома есть медный, сидящий со скрещенными ногами, жирный, веселый болванчик. Мои родители ежедневно жгут перед ним свечки.

Еврейский мальчик:

– У нас в туалете есть плоская подставка с цифрами. Каждое утро мама становится на нее и громко кричит: «О, Боже!»

♦

В одной фирме у начальника отдела кадров не было ушей. Ну, то есть напрочь – вообще не было! И никто не мог в эту фирму никак устроиться, потому что, как только зайдет в кабинет, сразу:

– Ой! А что это у вас с ушами?

Ну, дядька тот сразу начинает кипятиться и посетителя выставляет вон. И вот однажды приходит к нему старый еврей.

Заходит, говорит:

– Здгавствуйте !

Мужик настороженно так (ждет ведь, что про уши будут спрашивать!):

– Здравствуйте.

Еврей молчит, кабинет осматривает.

Мужик:

– А что, вы разве ничего не замечаете?

– А что? Вот смотгю, кабинет у вас хогоший такой…

– Да нет! Вы что, на голове у меня ничего не замечаете?

Еврей, присматриваясь:

– Да нет. А что такое?

– Ну смотрите внимательно!

– А-а-а, вижу, вижу. Вы в контактных линзах.

– Почему вы так решили???

– Потому что, если бы у вас были уши, вы бы носили очки…

♦

Еврей приехал из России в Америку. Ищет синагогу.

– А вам какую? – спрашивает сосед. – У нас в квартале есть литовская, польская, румынская, венгерская синагоги.

– Скажите, реб йид, а нет ли поблизости еврейской синагоги?

♦

Встречаются на горке два танка – один израильский, другой палестинский. Стрелять смысла нет – успеют выстрелить оба и одновременно погибнут. Тут открывается люк, и из израильского танка вылезает еврей:

– Эй ты, палестинское дерьмо, дай дорогу – у меня в кабине инструктор из США сидит.

Палестинец медленно открывает люк, высовывает голову и кричит:

– Пошел ты!!!

А потом наклоняется в люк и тихо так спрашивает:

– Я правильно сказал?

♦

Едут в поезде еврей и русский студент-семинарист. Еврей спрашивает:

– А какая у тебя будет карьера?

– Ну если хорошо закончу, поступлю в духовную академию.

– И все?

– Ну стану попом, а если хорошо закончу, может, и повыше пост получу.

– И все?

– Ну если все удачно сложится…

– Да, совсем удачно…

– Ну по максимуму, к концу жизни – епископом.

– И все?

– Ну, может быть, стану папой римским!

– И все?

– А что еще? Не Богом же?!

– (помолчав) Ну один из наших мальчиков таки выбился…

♦

– Кто самые-самые оптимисты в мире?

– Евреи… они еще не знают, до какого размера это вырастет, а уже обрезают…

♦

Идет по улице старый еврей и видит выставленные в витрине часы. Он заходит в помещение и видит другого старого еврея, сидящего за рабочим столом.

– Скажите, у вас можно отремонтировать часы?

– Нет. Мы часы не ремонтируем.

– А что же вы делаете?

– Мы делаем обрезание.

– А почему же у вас в витрине выставлены часы?

– А что бы вы хотели, чтобы мы выставили?

♦

Начало века. В одном местечке заспорили: стоит ли делать обрезание? Молодежь, конечно, против – несовременно, дескать. Старики – за. Позвали авторитетную старую еврейку, тетю Цилю.

– Как думаете, тетя Циля?

– Ну, во-первых, это красиво, – мечтательно улыбаясь, сказала тетя Циля…

♦

Избрали ПЕРВОГО ЕВРЕЙСКОГО ПРЕЗИДЕНТА.

Он звонит маме:

– Мама, я выиграл выборы. Ты должна приехать на церемонию присяги.

– А шо я одену?

– Да ты не волнуйся, я пришлю модельера.

– Но я ем только кошерную еду.

– Мама, я же ПРЕЗИДЕНТ! Уж я-то смогу обеспечить, чтобы тебе подали кошерную еду!

– Но как я доберусь?

– Я вышлю лимузин, только приедь, мама.

– Ладно, ладно, если это тебя осчастливит, я приеду.

Великий день наступил, и МАМА сидит среди членов Верховного суда и будущих министров. Она наклоняется к соседу справа и говорит:

– Видите этого мальчика, ну этого… с рукой на Библии, так вот, его брат ДОКТОР!!!..

♦

Встречаются двое знакомых, один у другого спрашивает:

– Не знаешь ли, как закончился процесс, где судились еврей с армянином?

– Знаю. Прокурору 10 лет дали.

♦

Раввин по окончании молитвы в синагоге обращается к евреям:

– Люди! Я понял, почему нас русские не любят! Мы не умеем пить водку. Вот завтра пусть каждый принесет по бутылке водки, все выльем в общий котел – и будем учиться пить.

Абрам приходит домой, говорит Саре: так, мол, и так, завтра надо принести бутылку – ну и так далее. Сара ему и говорит:

– А ты, Абрам, возьми бутылку воды. Полный котел водки – кто же там заметит?

Так и сделал. На следующий день подходят евреи по очереди к котлу, каждый выливает водку. Раввин берет поварешку, размешивает, зачерпывает, пробует… Грустным взглядом обводит синагогу и говорит:

– Да-а-а… Вот за это нас русские и не любят…

♦

Звонок в семье Мандельштейнов.

– Алло, мама, здравствуй. У меня хорошие новости.

– Да, дорогой.

– Вы с папой всегда беспокоились по поводу моей склонности к гомосексуализму. Так вот, у меня теперь очаровательная девушка…

– Да, как славно! Но… Наверное, какая-нибудь шикса?

– Нет, она из хорошей еврейской семьи.

– Ну, наверное бедная как церковная мышь?

– Нет, семья с Беверли-Хиллз, очень обеспеченная. Ее зовут Моника Левински.

Мать (после паузы):

– Сынок, а с тем симпатичным негром ты окончательно расстался?

♦

Сидят за столом два еврея, у одного из них недавно умерла жена:

– Изя, – говорит один, – тебе надо найти себе новую спутницу жизни.

– Я знаю, Абрам. Но мне надо, чтобы она обязательно болела астмой.

– Но зачем тебе больная астмой, Изя?

– Знаешь, Абрам, после Сарочки осталась куча лекарств!

♦

Взбирается как-то еврей на холм и видит такую картину: стоит русский и смотрит куда-то вдаль. Ну еврей к нему подходит и спрашивает:

– Чего ты там высматгиваешь, бгатец?

– Смотрю, где жить хорошо.

– Ха, хагашо там, где нас нет! – отвечает ему еврей.

– Ну вот я и смотрю – где ж вас, евреев, нет.

♦

Встречаются два еврея, которые давно не виделись.

– Привет, Абрам, как давно я тебя не видел!

– Привет, Мойша, очень рад тебя снова видеть. Давай зайдем в бар?

– А кто угощает?

– Ну… Давай так, вон, видишь фонтан? Каждый из нас опускает голову под воду. Кто первый вынет голову из воды, тот и угощает.

– Давай.

…на следующий день в газетах появилось сообщение: «Вчера в фонтане на Центральной площади утонули два еврея».

♦

Идет экскурсия по раю. Смотрят: в уголке сидит старая еврейка и вяжет носок. Люди подошли и стали благодарить: «Спасибо вам за сына. Вы родили величайшего человека в истории». Она грустно взглянула на них и говорит: «А мы с Иосифом так хотели девочку…»

♦

Молодой еврей стоит перед входом в рай и стучит в дверь.

– Я хочу в рай!

– Молодой человек, но для этого надо совершить какой-нибудь благородный поступок…

– Я подошел к римскому Цезарю и в глаза сказал ему все, что я думаю об этом мучителе евреев!

– И когда это было?

– Минут десять назад!

♦

– Сара! У нас на улице евреев бьют!

– Успокойся, Абрам, ты же по паспорту – русский!

– Так там не по паспорту бьют, а по морде…

♦

Один еврей в Одессе подходит к другому еврею (извозчику) и просит подвезти на Дерибасовскую.

– Садись.

Проехали метров 20. Извозчик говорит:

– Слезай.

– Зачем? – спрашивает тот.

– Видишь, дорога круто вверх пошла. Надо поддержать повозку. Вдруг лошадь не выдержит.

Выехали на гору, пассажир только сел, извозчик говорит:

– Слезай.

– Зачем? – спрашивает тот.

– Видишь, дорога круто вниз пошла. Надо придержать повозку. Вдруг лошадь не выдержит.

Спустились вниз, пассажир только садится, извозчик говорит:

– Слезай.

– Зачем? – спрашивает тот.

– Приехали, вот твоя Дерибасовская.

– Послушай, я понимаю, зачем я тебя брал. Я хотел доехать. Понимаю, зачем ты меня брал. Ты хотел заработать. Но зачем мы брали лошадь?

♦

Засуха. К цадику приходят евреи-хуторяне и просят устроить чудо.

– Чтобы пошел дождь.

– Нет, – отвечает цадик, – чуда не будет, ибо нет в вас веры в Господа.

– Но почему же, ребе?

– Если бы вы действительно верили в Иегову, то пришли бы с зонтами.

♦

Как известно, Гитлер был крайне мнителен и суеверен. Однажды он вызвал к себе прорицателя, чтобы узнать свое будущее.

– Мой фюрер, я вижу в своих книгах, что вы умрете в день еврейского праздника.

– Какого?

– О фюрер, в какой бы день вы ни умерли, он станет большим еврейским праздником!

♦

Германия. Туристический автобус, полный туристов из Израиля, стоит поломанный на обочине. Водитель – немец, покрутившись, идет к ближайшему дому и стучит в дверь. Открывает старик, и водитель обращается к нему:

– Слышь, дед, помоги, у меня тут полный автобус с туристами-евреями поломался.

– Ну чем я тебе могу помочь? У меня только микроволновка.

♦

Приходит старый еврей в комиссию по награждению и говорит:

– Я еду в Израиль!

– Очень хорошо, но при чем тут мы?

– Дайте мне медаль за освобождение Киева! Ведь я уезжаю и освобождаю Киев от своего присутствия!

♦

Абрам согрешил с чужой женой и, как положено, пришел в синагогу за отпущением грехов. Его встречает раввин.

– Отвечай, с кем ты совершил грехопадение?!

– Не могу, раби.

– Можешь и не стараться! Я и так знаю, что ты согрешил с женой булочника Шихмана – она известная блудница.

– Нет, раби.

– Нет?! Так значит ты согрешил с дочерью портного Каца?! Как ты низко пал, несчастный!

– Нет, раби.

– Что-о-о-о?! Неужели ты спутался с этой распутницей, племянницей лавочника Рабиновича?! О-о-о-о!

– Нет, раби.

– Ах, нет?! Вон отсюда, развратник! Не будет тебе никакого отпущения!

Абрам выходит из синагоги довольный, как слон. Столпившиеся у крыльца евреи спрашивают его:

– Ну как, Абрам, отпустил тебе раби грех?

– Нет.

– А чего ты тогда такой довольный?

– А я таких три адреса узнал!

♦

...И подошли евреи к Красному морю, и протянул Моисей руку, и разошлись воды морские, и сказал Моисей:

– Ах-хренеть...

♦

Еврей, вернувшись из путешествия, привез к Новому году подарок семье – роскошную попугаиху. Только сняли покрывало с клетки, а она как закричит: I want to have sex! И так целый день. Пошел еврей к раввину.

– Ребе, – говорит, – что делать с птицей? Выгнать жалко, а держать в доме неприлично.

– Отдай ее мне на время, – отвечает раввин. – Я тоже недавно был в путешествии и привез двух попугаев. Так те у меня целыми днями молятся. Думаю, они смогут повлиять на твою попугаиху.

Принесли птицу в дом к раввину. Сняли покрывало с клетки, попугаиха кричит: I want to have sex! Попугаи перестали молиться. Посмотрели на попугаиху. Потом друг на друга. И один из них тихо произнес:

– Изя, кажется, Бог услышал наши молитвы.

♦

Два друга, русский и еврей, путешествовали в экзотических местах.

И поймало их людоедское племя. Ну вождь радостный говорит:

– По такому случаю сегодня вечером банкет из двух блюд. Из русского суп сварите, из еврея – плов.

Посадили их в котлы, варят. Русский стиснул зубы, терпит. А из соседнего котла все время какие-то оханья доносятся.

Через час русский кричит:

– Изя, держись. И не волнуйся – я этим гадам отомстил. Весь суп им обоссал. Да что же ты охаешь все время?

Из соседнего котла:

– Ваня, да как же мне не охать, когда этот повар, сука, меня все время вилкой колет и не дает спокойно рис дожрать.

♦

– Папа, учитель в школе нам сказал, что все люди произошли от обезьян. А от каких обезьян произошли мы – грузины?

– Это, сынок, есть такая не очень большая, но очень умная обезьяна – Шимпанидзе.

– А от какой обезьяны произошли русские?

– Есть такая очень большая, но не очень умная обезьяна – Гаврила.

– А эти противные армяне?

– Это такая маленькая противная обезьянка – Макакян.

– А евреи?

– Ну есть такая умная обезьяна – Абрамгутанг.

♦

Купил еврей корову. Стали доить – а надои сумасшедшие – по 50 литров в день!!! Ну, думает, разбогатею. Стал молоко продавать, денег заработал. Надо, думает, к быку вести – потомство, еще больше денег будет…

Ну, значит, привел корову… Бык и так и сяк, – а корова не подпускает его к себе, и все…

Пошел еврей к раввину:
– Ой, ребе, у меня такое горе…
– Шо случилось, Рабинович?
– Ребе, купил корову, дает 50 литров молока в день… Повел к быку – а она не дает…
– Рабинович, скажите, вы корову в Минске покупали?
– Ой, ребе, вы святой человек! Откуда вы знаете?
– У меня жена из Минска…

♦

Сорок лет водил Моисей евреев по пустыне, да все бестолку.

Сусанин-то со своими за пару дней управился.

Вывод: евреи – это не поляки, их не так просто завести…

♦

Умирает старый еврей. Он лежит на кровати и отсчитывает последние часы жизни. Рядом сидит его внучек. Внезапно старик почувствовал запах своей любимой фаршированной рыбы и просит внука принести ему маленький кусочек перед смертью. Внук убегает на кухню, потом возвращается и сообщает:
– Дедушка, а бабушка сказала, что рыба на потом!

♦

Почему евреи празднуют Новый год осенью?
Осенью елки дешевые.

♦

Три феномена нашего времени:
1. Евреи воюют.
2. Немцы борются за мир.
3. Русские борются с пьянством.

♦

Интервью:
– Скажите, почему вы антисемит?
– Один еврей, несколько лет назад испортил мне жизнь…
– Да!? И как же его звали?
– Мендельсон!!!

♦

– Папа, – спросила маленькая Сарочка, – а может ли Господь разрешить мне послать валентинку человеку, который принадлежит другой религии?
– Думаю, да, – ответил папочка, средних лет еврей. – А кому бы ты хотела послать валентинку?
– Усаме бен Ладену.

– Бен Ладену?!?!?! – спросил шокированный взрослый. – Но почему?

– Ну, – сказала Сарочка, – представь: бен Ладен получает валентинку с признанием в любви от маленькой еврейской девочки. Он начнет думать, что не все в мире такие плохие, и станет любить мир немного больше. А потом, когда он получит еще несколько валентинок, он поймет, что мир в самом деле прекрасен, и наконец прекратит скрываться, и публично признает свои ошибки.

– Сарочка, – сказал глубоко растроганный отец, – это самое прекрасное, что я когда-либо слышал…

– Я знаю, папочка, – ответила Сарочка. – И когда он перестанет прятаться по разным пещерам, наши морпехи наконец пристрелят его к чертовой матери!

♦

– Знаете, почему евреи не едят шоколад?

–У них от фольги изжога.

♦

Обрезание было придумано евреями во времена египетского рабства. Наблюдая за работой садовников-египтян, евреи заметили, что если от ствола отрезать верхушечку, то от корневища начинают расти сильные многочисленные отростки! Несмотря на многочисленные неудачи, евреи упорны и продолжают опыты по сей день…

♦

Яхта Ротшильда потерпела крушение в Карибском море. Ротшильд с женой благополучно добрался до маленького атолла на надувном плоту. Осмотрев атолл, он невозмутимо сел на песок и стал смотреть на море.

– Чего ты ждешь, старый болван, нас же никогда здесь не найдут, мы погибнем от голода и жажды, делай же что-нибудь, кретин!!!.. – в истерике закричала на него жена.

– Успокойся, дорогая. Послушай, что я тебе скажу. Три года назад, как сейчас помню, 23 июля, я пожертвовал Главной синагоге Америки 500 тысяч долларов. Через год, после одной удачной сделки на бирже, я опять решил сделать им пожертвование, и в тот же день, 23 июля, перевел на их счет 700 тысяч долларов. В прошлом году мои нефтяные акции круто поползли вверх, и я наварил 12 лимонов с их продажи. Один миллион, как всегда, по традиции, 23 июля, я отослал в синагогу. Вот так-то.

– Ну и что с того? – спросила жена.

– А то, милая, что сегодня 22 июля, и не пройдет и двух дней, как мы будем спасены!

♦

Партизанский отряд. Командир посылает еврея в разведку. Еврей приходит через три часа и докладывает командиру:

– С окружения не выйдем. Нужны танки.

– Что, так много немцев?

– Да нет, немцев там нет. Но там такая злая собака!

♦

Телеграмма: «Москва, Кремль, Ленину. Товарищ Ленин, помогите бедному еврею. Рабинович».

На следующий день Рабиновича вызывают куда надо:

– Вы в своем уме? Вы что, не знаете, что Ленин давно умер?

– Ну да, у вас всегда так: если вам нужно, так он вечно живой, а если нужно бедному еврею, так он давно умер!

♦

Солдат на постое у еврея. В отведенной ему комнате на полке лежал большой кусок сала, которым он и воспользовался. Приходит хозяин, не находит сала и спрашивает солдата:

– Где оно?

– Кот съел.

Еврей берет кота на весы. Кот оказывается весом приблизительно равным количеству пропавшего сала.

– Ну, сало есть, а где кот?

♦

Еврейский Дед Мороз:

– Здраааааствуйте, детишки... Покупайте подарочки!

♦

Союз, начало 80-х. Взлетает самолет одной из местных линий. Вскоре после взлета из кабины в салон выходит командир – двухметровый бугай. Обводит взглядом пассажиров и интересуется:

– Террористы на борту есть?

Пассажиры, ясное дело, в шоке от таких слов, испуганно переглядываются и молчат. Командир продолжает, несколько увяв:

– Уголовники есть?

Очумевшие пассажиры продолжают молчать. Командир продолжает:

– Наркоманы есть?

Картина та же. Командир, совсем грустно:

– Евреи есть? В этот момент один из совершенно замороченных пассажиров замечает тихо сидящего в углу еврея, хватает за шиворот и выталкивает в проход:

– Вот тебе еврей!

Лицо командира светлеет, он дружески похлопывает еврея по плечу и подчеркнуто вежливо осведомляется:

– Куда летим, командир?

♦

Теща еврея стоит под душем и видит, как за занавески глядит небритая рожа зятя, она и спрашивает:

– Ты что, не видел обнаженного тела тещи?

А он ей отвечает:

– Нет, я смотрю, чьим ты мылом моешься.

♦

Молодой еврейский паренек записывается в еврейскую же армию. Комиссия задает вопрос:

– Представьте, вы в поле. Впереди вас араб. Ваши действия?

– Хватаю автомат и убиваю араба.

– Правильно. Следующая ситуация: вы в поле, впереди вас араб, слева и справа тоже по арабу. Ваши действия?

– Хватаю автомат и убиваю всех.

– Правильно. Такая ситуация: вы в поле, перед вами три араба, сзади тоже три араба, справа/слева опять же по три араба и еще танк едет. Ваши действия?

– Хватаю автомат и убиваю арабов. Потом бросаю гранату и подрываю танк.

– Правильно. А вот такая ситуация: вы в поле, впереди сотня арабов, справа/слева/сзади по сотне, три танка из-за холма показались, и пяток вертолетов пикируют. Ваши действия?

– А можно вопрос?

– Можно.

– Я один в еврейской армии???

♦

Израиль. В автобусе едет негр и читает газету на иврите. К нему наклоняется старый еврей и спрашивает:

– Послушайте, вам шо, мало, шо вы негр?!

♦

Забытая Богом и людьми деревенька в Смоленской области. Наши дни. По разбитой напрочь дороге едет крутой «Роллс-Ройс». За ним пара джипов «Гелендвагенов» с мигалки, сиренами, эскорт сопровождения и все такое прочее. Весь этот эскорт подъезжает к разбитой избушке с проломанной крышей, разбитыми стеклами и покосившимся крыльцом. Из «Роллс-Ройса» выходит благообразного вида джентльмен, в костюме от Brioni, галстучек от Armani, ну в общем весь из себя. За ним бегут охранники, помощники, секретари, стенографисты. Дядя походит к избушке и долго стучится в дверь. Выходит старенькая бабушка.

– Здравствуйте, бабушка.

– Здравствуй, сынок, но я ослепла и не узнаю тебя. Кто ты?

– Бабушка, помните 1942 год, зима, наступают фашисты. Вы подобрали маленького еврейского мальчика в красном пальтишке. Всю войну прятали его от фашистов, кормили, поили…

– Так это ты, сынок?

– Бабушка, вы меня узнали? Я за пальтишком приехал!

♦

1941 год, война. Пара русских и евреев:

Р.: Смело мы в бой пойдем!

Е.: И ми за вами!

Р.: И как один умрем!

Е.: Абрам ми не туда попали?!!

♦

Бизнесмен из Нью-Йорка едет по делам в Белфаст на две недели. Его жена просит пообещать ей, что он ни за что не будет выходить из гостиницы с наступлением темноты. Чтоб, значит, не попасть случайно в какую-нибудь из политических разборок в этой стране. Прошло две недели. Завтра уезжать. Бизнесмен решает хоть раз посмотреть вечерний Белфаст. Только он вышел из отеля и повернул за угол, как в спину ему ткнулось дуло, и голос спросил:

– Католик или протестант?

Бизнесмен, не долго думая:

– Еврей.

Голос:

– О…ооо…ооооо… я, наверное, самый удачливый араб в этом мире…

♦

Выбирают в синагоге раввина. Кандидатур три: один прекрасно знает Талмуд, но не член КПСС; второй – член КПСС, но плохо знает Талмуд; третий и Талмуд знает, и член КПСС, но еврей.

♦

Идет шестидневная война (для тех, кто не знает: арабы против евреев). Сидят евреи и арабы в окопах друг против друга. Долго идет затишье. Наконец евреям оно надоедает, и они кричат:

– Мухаммед!

– Я. (*вскакивая*).

Бах! Готов. Арабы решили повторить тот же опыт:

– Рабинович!
(*молчание*)
Через время:
– Кто звал Рабиновича?
– Я…

♦

Звонит один еврей другому:
– Послушай, Мойша, у тебя нет на примете честного хорошего бухгалтера?
– Есть, но ему еще год сидеть.

♦

Еврей везет в Израиль портрет Ленина.
– Это что? – спрашивают его на советской таможне.
– Это не что, а кто! Это Владимир Ильич Ленин!
– Это кто? – спрашивают его на израильской таможне.
– Это не кто, а что! Это золотая рамочка.

♦

Два еврея сидят в туалете. Один другому говорит:
– Изя, как ты думаешь, это умственная робота или физическая?
– Если б она была физической, я бы нанял рабочих.

♦

– Я совсем не похож на еврея!
– Конечно. Но все евреи похожи на тебя.

♦

Портниха уговаривает богатого еврея заплатить за новое платье любовницы:
– Если бы вы посмотрели, как оно на ней лежит, то дали бы деньги, не торгуясь.
– Зачем? Чтобы смотреть, как она лежит без него, я уже плачу в три раза больше…

♦

Ночной звонок по телефону:
– Алло?
– Хотите еврейский анекдот?
– Ну?
– Рабинович слушает.

♦

Едет еврейский юноша в поезде. И поезд должен сделать остановку на 10 минут в родном его городе (а он дальше едет). И к поезду придет его еврейский папа, и они 10 минут поговорят. Но тут сообщают, что поезд опаздывает, и в маленьком еврейском городке не остановится.

Юноша начинает переживать: «Как так? Как же папа? Я не видел его 5 лет! И что я ему скажу за то время, когда поезд проедет мимо него?» Он ходит по вагону и думает (а ему дают советы под руку, все за него переживают). И вот заветный полустанок, стоит одинокий еврейский папа. Несется поезд, в дверях тамбура стоит еврейский юноша и кричит:

– Папа, как ты какаешь?!

– Таки хорошо, сынок!

И поезд уносится вдаль. Когда юноша возвращается обратно в вагон, его все наперебой спрашивают:

– Как же так? Ты что, не мог спросить что-нибудь более приличное?

– Я спросил: «Папа, как ты какаешь», и он ответил «таки хорошо, сынок». А раз он хорошо какает, значит, он хорошо кушает, а раз он хорошо кушает, значит, у него хороший аппетит и хорошие продукты, а раз у него хороший аппетит и хорошие продукты, значит, он таки здоров и неплохо зарабатывает!

♦

Сидит в квартире пожилая еврейская пара и смотрит телевизор. Вдруг звонок в дверь. Авраам подходит к двери и спрашивает:

– Ну и хто там?

– Это я, убийца и душитель женщин.

Авраам, выслушав это, обращается к своей жене:

– Софочка, к тебе пришли.

♦

Умирает еврей. Диктует завещание:

– Хаиму я завещаю 10 тысяч, Изе – 50 тысяч, Абраше 250 тысяч…

Останавливается и, глядя вверх:

– Господи, где я столько денег возьму?

♦

Косметика из грязи Мертвого моря: сбылась многовековая мечта еврея – деньги делать из грязи.

♦

Кто как ходит в гости:

Француз – с чужой женой. Англичанин – с чувством собственного достоинства. Еврей – с тортиком. Русский – с литром водки.

Кто как уходит из гостей:

Француз – с другой чужой женой. Англичанин – с чувством собственного достоинства. Еврей – с тем же тортиком. Русский – с фингалом под глазом.

Кто что думает, уходя из гостей:

Француз: «А та, что была справа, пожалуй, аппетитнее»... Англичанин: «А не потерял ли я где-нибудь чувство собственного достоинства?»

Еврей: «Куда бы еще сходить с этим тортиком?» Русский: «Ну и набили морду, зато я им весь хрусталь перебил!»

♦

Сочи, жара. Едет черная «девятка» с черными закрытыми стеклами, а в ней два еврея. Один другому говорит:

– Давай хоть стекло откроем.

– Нет, пусть все думают, что у нас кондиционер.

♦

На еврейском кладбище мать хоронит малолетнего сына, причитая:

– ...И попроси, сыночек, Господа, чтобы Сарочка вышла замуж. И еще попроси у него, чтобы дядя Хаим выздоровел. И чтобы Натана не взяли в солдаты...

Наконец стоящий рядом могильщик не выдерживает:

– Послушайте, почтеннейшая, если у вас столько дел к Господу Богу, надо было идти самой, а не посылать несмышленого мальчика.

♦

Идет заседание трибунала. В вагоне метро офицер избил еврея.

– Почему?

– Да он мне на ногу наступил!

– Могли бы и потерпеть!

– Так я терпел! Он наступил, я и думаю: потерплю три минуты. Три минуты прошли. Думаю: ну, потерплю еще две минуты. И эти две минуты прошли, а он все у меня на ноге стоит. Тут-то я ему и врезал… Офицеру выносят бо-о-ольшое порицание и отпускают. В зал вводят солдата, который избил восемь евреев в том же вагоне метро.

– Почему?

– Да еду я в метро. Смотрю, рядом офицер. То на еврея посмотрит, то на часы. Потом в конце концов на часы взглянул и как вмажет! Так я решил, что по всей стране началось…

♦

Один палестинец хотел заниматься анальным сексом со своей женой, но жена всегда отказывала, говоря, что Коран запрещает. Тогда палестинец пошел к мулле и спрашивает у него:

– Мулла, могу я заниматься анальным сексом со своей женой?

– Можешь, если убьешь одного еврея.

Тот на радостях пошел и убил еврея – и в тот же день жена ему отдалась. Второй день – муж приходит и говорит жене:

– Жена, я еще одного еврея убил!

Проходит неделя, месяц – все в таком же духе:

– Жена – я убил еврея!!!

Жена, не выдержав:

– Ты что, хочешь освободить Палестину через мою задницу?!!

♦

Русский в компании грузин все время рассказывает пошлые анекдоты про грузин, им это надоело, и один из них говорит:

– Слушяй, еще адиын аныкдот про грузынов, и мы тэбя убъем!

Русский:

– Ну ладно, идут по пустыне два еврея – Гоги и Кацо…

♦

Заходит мужик в автобус, пробивает билетик, за ним второй мужик – и не пробивает. Первый думает: «Ага, билетик не пробил, значит – еврей, если еврей, значит, работает либо в сфере услуг, либо в торговле; я работаю в торговле и его не знаю, значит, он работает в сфере услуг. Сегодня – воскресенье, и сфера услуг не работает, следовательно, он едет либо от любовницы, либо к любовнице. У нас в городе три шлюхи: Лара, Клара и моя жена, Лара отдыхает, Клара болеет, значит, он едет либо от моей жены, либо к ней, у моей жены три любовника: гендир, замгендир и Абрам. Гендира я знаю, он – грузин, замгендира я тоже знаю, он – армянин, значит, это – Абрам!»

– Привет, Абрам!

– О… Откуда ты меня знаешь?

♦

Начало двадцатого века, Одесса. В трактир входит огромный биндюжник – еврей и начинает всех угощать со словами, что жена родила ему сына, который весь в отца – целых двадцать фунтов весом. Все его поздравляют и т. д. и т. п.

Через некоторое время он снова заходит в трактир. Хозяйка – типичная тетя Соня – его спрашивает:

– Ведь это ви отец того мальчика, который весит 20 фунтов? Как он сейчас? Сколько весит?

– Теперь он весит 15 фунтов.

– Что случилось? Мальчик теряет в весе! Он что – заболел?

– Что ви? Просто мы ему недавно сделали обрезание…

♦

1943 год. Концлагерь. Газовая камера заполнена людьми, и немецкий сержант собирается крутить вентиль для подачи газа…

Тут к нему бежит офицер:

– Стой! Стой! Не пускай газ! У нас беда! Едет начальство, а в штабе плитка кафельная вся отвалилась! Дай спрошу, есть ли в камере плиточник…

Ну, заглядывает в камеру:

– Та-а-к! Среди вас есть плиточник?

Из толпы пробирается старый дедушка-еврей:

– Ну я плиточник…

– Плитку в штабе можешь выложить?

– Могу, а скока заплатишь?

– Ну-у-у… по тридцатке за метр…

Дед:

– Так! Дверь закрой! С той стороны!

♦

– Василий Иванович, вы еврей?

– Видишь ли, Петр…

♦

Рабинович зашел к раввину посоветоваться, куда же безопаснее вложить деньги: в драгметаллы, в недвижимость или ценные бумаги…

В то же время вбегает молоденькая девушка:

– Ребе! Я сегодня замуж выхожу. Таки какую рубашку в первую брачную ночь надеть – розовую или голубую?

– Видите ли, дочь моя, какую бы рубашку вы ни надели, тебя все равно...! Это и вашего вопроса, Хаим Соломонович, тоже напрямую касается.

♦

Пришел генеральский сынок из воскресной школы. Ну папа его и спрашивает:

– Ну-ка доложи по форме, что вам сегодня учитель рассказывал?

– Ну, короче, рассказал, как Бог послал Моисея за линию фронта со спасательной миссией, чтоб, значит, вывести евреев из Египта. Ну и пришли они к Красному морю и, типа, его эти, как их, интенданты, навели понтонную переправу, и они марш-броском перекинулись на тот берег. А потом Моисей по рации чирикнул в ставку и вызвал тяжелую авиацию. Прилетела парочка Б-52 и разбомбила эти понтоны. Ну и так евреи спаслись…

Офигевший генерал:

– Что, прямо так и рассказал?

– Да не, конечно, но, если б я тебе рассказал, как учитель, ты бы ни за что не поверил в эту хрень…

♦

Умер старый богатый еврей. Вся семья собралась у нотариуса, чтобы узнать завещание. Нотариус читает: «Я, Лахман Исаак Давидович, находясь в здравом уме и твердой памяти, все деньги потратил перед смертью».

♦

– Бабушка-бабушка, а почему у тебя такие большие уши?

– Чтобы лучше слышать тебя, моя деточка!

– Бабушка-бабушка, а почему у тебя такой большой нос?

– Потому что я еврей, – сказал волк и громко заплакал.

♦

Пришли два еврея на Запорожскую Сечь и просятся:

– Возьмите нас, мы хотим казаками стать!

Казаки их отшивают и так и эдак, мол, не место евреям на Сечи, но евреи не отстают.

Достали казаков, ну те и говорят:

– Вот переплывите Днепр туда и обратно, тогда и примем вас в казаки.

Переплыли евреи на другой берег, плывут обратно, из последних сил гребут. Добрался

Мойша до берега и упал на песок, а Абрам уже у самого берега тонет и кричит:

– Мойше!!! Мойше!!! Помоги! Тону!

– А где ты видел, чтобы казаки жидам помогали!?

♦

– Роза, вы слышали последнюю новость? Таки Рабинович повесился!!!

– Как, в очередной раз?

– Ша!!! Вот он идет!!!

♦

– Сема! А шо, твоя Роза бросила тебя, когда таки узнала, шо ты есть внук миллионера? Странновато!

– Шо ж странного? Таки она теперь моя бабушка.

♦

Вы представляете еврейский пиратский корабль Это большой черный фрегат, с одного борта – 40 пушек, с другого борта – 40 пушек. На флагштоке большой черный флаг с Веселым Роджером, а рядом маленький белый флаг. Это так, на всякий случай.

♦

– Внимание! Встречающие поезд из Жмеринки! Ваш поезд таки опаздывает.

Пока можете встретить поезд из Крыжополя. Там вроде тоже люди едут, им будет приятно!

♦

Извечный русский вопрос: «Кто виноват и что делать?»

Извечный еврейский вопрос: «Что мы будем с этого иметь?»

Извечный грузинский вопрос: «Кого и как мы будем иметь?»

♦

– У евреев национальное блюдо – фаршированная рыба, у украинцев – фаршированный перец, а у русских – фаршированный целлофан.

– А это как?

– А это сосиски.

♦

– Почему евреи не играют в преферанс?

– Потому что они знают более честные способы обманывать россиян.

♦

Чукотские
Евреи
Любят
Скупать
Игроков.

♦

Одесса. Обычная еврейская семья. Сына посылают в магазин за сметаной. Через час мальчик возвращается без сметаны и со слезами на глазах:

– Продавец в магазине сказал, что маленьким еврейским мальчикам сметану не продаем!

Понятное дело, взбешенный отец побежал разбираться. Значит, влетает в магазин и орет:

– Что это такое? Что за антисемитизм? Я буду жаловаться!

Вдруг выходит старый еврей в грязном халате и говорит:

– Тише, ну шо вы орете!? Вы пробовали эту сметану?!!

♦

«Лучше поздно, чем никогда», – сказал еврей и положил голову на рельсы, глядя вслед уходящему поезду.

♦

Поймали еврея при переходе границы.
– Что вы тут делаете?
– Какаю…
– Так говно ж собачье??
– А жизнь какая???

♦

Рабинович эмигрировал в Нью-Йорк. Открыл кошерный ресторан и нацепил плакат на окно: АРАБАМ ВХОД ЗАПРЕЩЕН. Через пару дней утром в ресторан зашел мужик явно арабского вида.

Официант побежал к Рабиновичу узнать, что делать. Тот подумал и говорит:

– Ладно, я не хочу скандала. Дай ему бутерброд и кофе, но в счете выставь двойную цену. Больше он сюда не сунется.

Официант так и сделал. Но на следующий день, в обеденное время, араб снова появился в ресторане. Все повторилось, но на этот раз Рабинович приказал взять с араба тройную цену. Тот поел, заплатил, похвалил качество еды и спросил, можно ли зарезервировать на вечер стол на 10 персон. Рабинович подумал и сказал официанту:

– Ладно, зарезервируй стол для него, но счет удесятеришь!!

Короче, пришел араб со своими друзьями. Заказал шикарный ужин со всеми делами и расплатился без единого слова. На следующий день на окне кошерного ресторана Рабиновича появился плакат: ЕВРЕЯМ ВХОД ЗАПРЕЩЕН.

♦

Ходят евреи по Лувру. Подходят к картине Пикассо «Нищий старик с мальчиком». Смотрели, смотрели, и Рабинович говорит:

– Смотри, Сара, нищий-то он нищий, а картину у Пикассо заказал.

♦

– Вы слышали, какая трагедия?! Глухонемой чернокожий еврей, парализованный в самых неожиданных местах, к тому же гомосексуалист, наркоман и алкоголик, недавно подхвативший СПИД…

– Да, парню явно не повезло.

– А теперь самое ужасное: дочка этого бедолаги выскочила замуж за эмигранта из России!

♦

– Что за гадость у тебя громыхает!!??

– Пап, это же «Рамштайн»!

– Суровую же музыку твой еврей пишет…

♦

Разговор двух начальников отделов кадров.
– Слушай, а вы евреев на работу берете?
– Берем.
– А где вы их берете?

♦

В гастрономе.
– Отрежьте мне килограмм мяса.
– А вы еврей?
– Что вы здесь себе позволяете???!!!
– Заведующий запретил…
– А ну немедленно давайте сюда заведующего!!!
Продавец зовет:
– Абрам Семенович! Тут вас покупатель хочет видеть!
Заведующий выходит и обращается к покупателю:
– Вы действительно еврей?
– Да! Что за безобразие здесь творится???
– Мясо не свежее…

♦

Еврей, уезжая из страны, на таможне беседует с таможенником.
– У вас есть ценности?

– Да, 145 кг золота. Можно провезти?

– Нет!

Еврей, обращаясь к жене:

– Прости, золотце! Тебе придется остаться здесь.

♦

В еврейской семье родился мальчик с недоразвитым веком.

Доктор говорит маме:

– Ничего страшного. Скоро вы будете делать ребенку обрезание – вот этим кусочком мы и надставим веко.

– Скажите, доктор, а у мальчика не будет хреновый взгляд на жизнь?

♦

Играют святой Моисей, Иисус и Господь Бог в гольф.

Моисей бьет, мяч попадает в воду, Моисей наступает на воду, вода расходится в стороны, Моисей бьет, и вторым ударом попадает.

Бьет Иисус, мяч попадает в воду, Иисус идет по воде, бьет и попадает.

Очередь Господа Бога. Он бьет, мяч попадает в воду, там его съедает рыба, рыбу хватает чайка и взлетает, чайку сбивает сокол, она роняет рыбку, рыбка, падая, выпускает мячик, и он попадает прямо в лузу!

Иисус:

– Папа, вы достали своими еврейскими шуточками!

♦

Летят в самолете в одном ряду еврей и два араба.

Арабы сидят у окна, а еврей – с краю.

Араб говорит еврею:

– Пропусти меня, я пойду чаю попрошу.

Еврей:

– Не беспокойтесь, я вам принесу.

И ушел. Тут один араб говорит другому:

– Смотри, он туфли снял. Давай ему в туфли наплюем.

Наплевали. Еврей пришел, принес арабам чай. Летят дальше.

Самолет сел, еврей засовывает ноги в туфли и… со вздохом говорит:

– И когда же кончится эта бессмысленная вражда – вы наплевали мне в туфли, а я вам нассал в чай…

♦

В кафе пришли: англичанин, француз, русский, еврей и чукча. Всем подали кофе с мухой. Англичанин вытащил муху и выпил кофе. Француз не стал ничего пить. Русский выпил кофе с мухой. Чукча съел только муху, поскольку не знал, что такое кофе. А еврей выпил два кофе, поскольку поменял свою муху на чукчин кофе.

♦

– Что следует делать религиозной еврейке, если она не может забеременеть?

– Она должна прийти к главному раввину, он положит ей руку на лоб, благословит, и все будет в порядке.

– А если это не помогает?

– Есть более радикальный способ. Женщина должна будет раздеться до пояса, раввин коснется рукой ее груди, благословит, и все уладится…

– А если и это не помогает?

– Есть еще более результативный метод. Женщина разденется догола, раввин положит руку ей на живот, благословит, и она точно забеременеет…

– Ну а если и это не поможет?

– Это совсем тяжелый случай. Тогда ей нужен мужчина…

♦

После осмотра врач говорит:

– С вас сто долларов.

Пациент-еврей начинает ныть:

– Доктор, я бедный человек...
– Ладно, 50 долларов.
– Доктор, у меня трое детей, а жена не работает...
– 25 долларов.
– Доктор, я и сам работаю два дня в неделю.
– Ладно, десять долларов и выметайтесь отсюда. Кстати, почему вы пришли ко мне, знали же, что визит стоит дорого?
– (Гордо.) Что такое деньги, когда речь идет о здоровье!

♦

Из чата:
– Ну что ты такая занудная, и откуда такие берутся??
– Сам зануда!
– А я еврей, мне можно!

♦

Одесса. Две старушки судачат.
– Вчера на Дерибасовской балкон упал, человека убил...
– Во балконов настроили – человеку пройти негде! А кого прибило-то?
– Да еврея какого-то.
– Во евреев развелось – балкону упасть некуда!

♦

Концлагерь, вдоль проволоки идет старая еврейка со звездой Давида на груди.

С той стороны проволоки стоит здоровенный эсэсовец.

Эсэсовец, указывая на звезду Давида:

– Юде?

Старая еврейка:

– Нет… техасский рейнджер!

♦

Стоят два еврея. Подходит третий:

– Я не знаю, о чем вы тут разговариваете, но ехать надо!

♦

Приходит молодой человек к доктору и говорит:

– Кастрируйте меня.

Доктор:

– Да зачем это вам, такому молодому?

– Вы сначала сделайте, о чем я вас прошу, а потом я вам все расскажу.

После операции доктор спрашивает:

– Ну и зачем это вам?

– Понимаете, доктор, я женился на еврейке, а ведь у них такой обычай.

– Так вам надо было сделать обрезание?

– А я КАК сказал, доктор?

♦

Ватикан. Наши дни. Каждый день на прием к папе римскому приходят два еврея. На вопрос – «вы по какому делу» отвечают: «По личному». Их не пускают. Так проходит ровно год. Наконец, доложили папе о странных визитерах.

Папа распорядился-таки пропустить ходоков. Заходят они в папские покои.

– Здравствуйте.

– Здравствуйте.

– Вы папа?

– Мы папа.

Один из евреев достает из кармана какой-то листок:

– Вы кого-нибудь из этих людей знаете?

Папа смотрит в бумажку – репродукция с картины «Тайная вечеря».

– Разумеется. Это же наши святые. Апостол Петр, Апостол Павел… Вот – Иисус… Да, я знаю их всех…

Другой еврей тоже достает из кармана какую-то бумажку:

– Тут мне от предков их счет остался. Они тогда за обед таки не заплатили…

♦

Пьяный пожарный упал с 40-метровой пожарной лестницы, но остался цел и невредим. Его спасло то, что он успел подняться только на вторую ступеньку.

♦

Одесса. 1982 год.

Заходит мужик в ресторан и говорит:

– Официант!!! Водки на 200 рублей, закуски на 200 рублей и… квашеной капусты на 200 рублей.

Официант в шоке (по тем деньгам 600 рублей – это круто).

Приносит ему: полный стол еды, пол-ящика самой лучшей водки и бочку квашеной капусты. Проходит час, два. В этот же ресторан заходит другой чувак, сам весь такой скромный; и видит, что все места в зале заняты, кроме одного – возле товарища, который спит в бочке с капустой. Ну делать нечего – подумал он, раз пришел, то присяду. И присаживается возле спящего.

А сам товарищ очень скромен, да еще и еврей; вот он и тихо прокричал:

– Официант!!!

– Да.

– Мне, пожалуйста, жареного поросеночка, чтобы в глазках у него были вишенки, в ротике рибка, а в густочке маленькое яблочко.

– Где, не понял?

– В густочке.

– Не понимаю.

– Как вам сказать по культурнее, в попочку маленькое яблочко.

Тип (рядом спящий, проснувшись):

– Официант!!! ЯБЛОК В ЗАДНИЦУ НА 200 РУБЛЕЙ!!!

♦

Застой. Для выезда за границу еврей заполняет анкету. Ну вы знаете – куча вопросов. Не судим, не сидел, участие в партизанском движении, награды и т.д. Еврей везде пишет: «нет», «нет», «нет»… На вопрос: «национальность» он ответил: «таки да».

♦

Жил-был старый богатый еврей, и было у него три сына. Пришло время, старший приходит к отцу и говорит:

– Папа, я женюсь! Благослови меня.

– Хорошо, сынок. А как же фамилия твоей невесты?

– Иванова, папа.

– Ай, сын! Ты разбиваешь мне сердце! Ну почему ты не мог жениться на хорошей еврейской девушке? Я не благословлю тебя, и ты не получишь наследства! Прочь с глаз моих!!!

Проходит время, к отцу с тем же известием приходит средний сын:

– И как же фамилия твоей избранницы, сынок?

– Браун, папа.

…и получает тот же ответ.

Наконец приходит младший:

– Папа, женюсь!!!

– И как же ее фамилия?

– Голдберг, папа!

– Боже мой! Наконец-то!!! Хоть один сын порадовал старика своим выбором! Я благословляю ваш брак и оставляю тебе все мое состояние!!!

Подписывает документы…

– А как же зовут эту милую еврейскую девушку, сынок?

– Вупи, папа. Вупи Голдберг!

♦

Невеста делится впечатлениями с подругой после брачной ночи с мужем-евреем: конечно, я знала, что у них обрезание, но не до такой же степени!

♦

Одесса. Один молодой еврей разговаривает с более зрелым:

– Вот решил жениться…

– А почему такой невеселый? Невеста бесприданница?

– Да нет, дочь Изи Рубинштейна, приданое – два магазина.

– А что печалишься?

– Есть одна проблемка – она хромая на левую ногу.

– Ой-ой, какой же ты молодой и глупый! Вот что я тебе скажу: ну женишься ты на девушке с красивыми ногами. Ну пойдешь ты с ней гулять по Дерибасовской.

Ой, ты же знаешь, какие у нас в Одессе дороги… Ну, сломает твоя жена свою красивую ногу. Ты, конечно, будешь ее лечить, но ты же знаешь, какие у нас в Одессе врачи…

Ты потратишь все деньги из приданого и останешься с хромой женой!..

А так уже на всем готовом…

♦

Гамбургеры без мяса, лед без колы – еврейская неделя в «Макдоналдсе».

♦

Два еврея, приговоренные к расстрелу, стоят у стены с завязанными глазами в ожидании приговора. Вдруг один из них срывает повязку с глаз и кричит:

– Сволочи, хочу видеть вас, когда будете в нас стрелять!

Другой ему говорит:

– Изя, ты что творишь!? У тебя могут быть крупные неприятности…

♦

Девушка, будущий скульптор, слепила фигуру Аполлона. Профессор:

– Неплохо! Неплохо! Однако, милочка, почему вы думаете, что Аполлон был евреем?

♦

Рабинович обошел много предприятий в поисках работы и везде задавал один и тот же вопрос: «У вас евреи работают?» и везде был ответ: «Да». Рабинович разворачивался и уходил. Когда он пришел на завод Центролит, где очень тяжелое производство, и задал тот же вопрос: «Работают у вас евреи?» и, получив ответ «Нет», Рабинович попросил принять его на работу. На следующий день руководство завода при обходе наблюдает следующую картину: в цехе, куда был направлен Рабинович, все работают, один он пьет кофе, курит и развлекается с девочками.

– Как вам не стыдно, первый день на работе и такое себе позволяете. Вы не выполняете договорные обязательства…

– Извините, – возмутился Рабинович, при поступлении на работу я вас спросил: «У вас евреи работают?», на что вы мне ответили: «Нет», таки извините…

♦

Еврей каждый день приходит в синагогу и молится:

– О мой Бог, помоги мне выиграть миллион!

И все время безрезультатно…

Наконец ему надоедает – и он говорит:

– О мой Бог, помоги мне выиграть миллион, а если ты и на этот раз не поможешь – то я уйду в православную церковь!

Ничего не выиграв и на этот раз, еврей идет в православную церковь и молится:

– О Иисус, помоги мне выиграть миллион – я тогда половину пожертвую церкви!

И – о чудо! – в тот же день он выигрывает миллион!

На следующий день еврей снова идет в синагогу и молится:

– Спасибо тебе, мой Бог, что выполнил мою просьбу, пусть и не сразу!

♦

В еврейской семье: «Жора, чтоб ты сдох, пей кефир, тебе же поправляться надо!»

♦

Решил еврей на халяву себе колодец в огороде выкопать. Пошел он к русскому и говорит:

– Слушай, мне недавно один цыган продал старую карту. На ней показано, что у меня в огороде зарыт клад. Давай ты мне его откопаешь, а я тебе 30% отдам.

А русский отвечает:

– Не верь ты этому цыгану. Он продал похожую карту одному хохлу, так я ему целый колодец вырыл, а клад не нашел.

♦

Международный конгресс, посвященный вопросам антисемитизма.

Выступает представитель племени «нямням»:

– Должен вам сказать, господа, антисемитизм проникает и в Африку. Я же им объясняю: «Евреи – тоже люди» Не жрут, сволочи!

♦

Знаете ли вы, что расточительные итальянцы на Новый год выбрасывают в окна старую мебель? А хитрые евреи ее подбирают и перепродают в Россию.

♦

Еврей прилетает из Нью-Йорка в Тель-Авив с двумя огромными чемоданами и проходит таможню. Таможенник интересуется содержимым чемоданов. Еврей открывает первый чемодан – он полон купюр по одному доллару. Таможенник спрашивает:

– Как вы объясните, откуда у вас столько денег, и все по одному доллару?

– За несколько лет я объездил все Соединенные Штаты вдоль и поперек. Там я часто заходил в общественный сортир, подходил к какому-нибудь американцу, стоящему перед писсуаром, и говорил ему: «Пожертвуй один доллар в помощь Израилю, а то я тебе яйца отрежу».

Не поверивший этому таможенник, от души смеясь, спрашивает:

– А что у вас во втором чемодане?

– Понимаете ли, не все воспринимали меня всерьез…

♦

Авиабаза. Отбор летчиков. В кабинете сидит директор базы. Заходит немец – летчик 1-го класса.

Директор:

– Здравствуйте.

Немец:

– Здравствуйте.

– Какой стаж работы?

– Четыре года.

– Рекомендации?

– Вот… – немец дает две самые отличные рекомендации.

– Сколько хотите зарабатывать?

– 3 тысячи долларов в месяц.

– Хорошо, я подумаю.

Входит американец.

– Здравствуйте.

– Здравствуйте.

– Стаж?

– Пять лет.

– Рекомендации?

–Вот три рекомендации, самые положительные отзывы.

– Сколько хотите в месяц?

– 6 тысяч долларов.

– Я с вами созвонюсь позже.

Появляется еврей.

– Здравствуйте.

– Зддасти.

– Стаж?

– Да шо вы?

– Рекомендации?

– Откуда?

– Боже, сколько же вы хотите?

– За это всего 9 тысяч долларов!

– ???

– Объясняю: три тысячи – вам, три тысячи – мне, а за оставшиеся три тысячи и немец полетает…

♦

Идет еврей по лесу, грибы собирает.

Видит – на поляну сел НЛО. Из него вышли зеленые человечки.

Еврей подходит и говорит:

– Здгавсвуйте, догогие инопланетные дгузья!

– И сюда они добрались, – подумали инопланетяне…

♦

Еврей – космонавт! На сеансе связи с управлением полетами..

– Алло, Земля, ответьте, пожалуйста, я забыл свой позывной – кто я?! Алло, Земля, ответьте кто я?!, а то я забыл…

Управление полетами:

– ПОЦ! ты вообще-то, но сейчас – «СОКОЛ»!

♦

Едут в купе еврей и хохол. Еврей взял себе только хлеба, а хохол только сала. Наступило время ужинать. Еврею хлебушек на сухую не лезет, косится он на салко. Тут в голову приходит замечательная идея:

– Давайте поиграем в интересную игру!

– ????

– Ну, например, как в карты. Я на свой хлеб, а вы на свое сало.

В общем, согласился хохол. Начали играть. Хохол отрезает большой кусок сала, кладет на стол и говорит:

– Сало.

Еврей отрезает тоненький кусочек хлеба:

– Козырный хлеб!

Забирает сало, и с удовольствием уплетает его вместе с хлебом. Тут хохол (азартная натура) отрезает еще один кусок сала, с грохотом кладет на стол:

– Козырное сало!!!

Еврей не долго думая смотрит на сало, потом на пустые руки и говорит:

– Принял…

♦

Мужик поднимается на башню в бар и видит, что там сидит мужчина, весь такой в черном, и водку стаканами пьет без закуски. Мужику стало интересно, и он подошел и спросил у этого чувака в черном:

– Почему ты водку без закуски, без ничего пьешь?

– Да вот жизнь самоубийством решил покончить, но не получается, прыгаю и не разбиваюсь.

Мужик не поверил, а тот решил показать, взял и прыгнул, и через пять минут возвращается целый и невредимый. Мужик решил сам проверить, взял и спрыгнул и разбился насмерть. Чувак в черном сел опять за столик, к нему подходит официант и говорит:

– Какая же, Бэтман, ты сука, когда напьешься!

♦

Встречает новый русский старого еврея и говорит:

– Папа, дай денег.

♦

Соцопрос с участием еврея:

Имя?

– Исаак Кац.

Где живете?

– Бердичев.

Занятие?

– Мелкий гешефт.

Вероисповедание?

– Слушайте, я Исаак Кац, живу в Бердичеве и занимаюсь мелким гешефтом… Ну и кто я после этого? Буддист?

♦

40 лет водил за нос Моисей евреев по пустыне…

И так получились армяне…

♦

Молодой священник, только закончивший обучение, приходит в церковь.

Ему поп говорит:

– Иди читай проповедь!

Тот идет, боится, в первый раз все-таки…

Другой поп его пожалел и говорит:

– Сын мой, сходи за алтарь, остаканься и смело иди читать, все получится.

Тот сходил, остаканился… С утра просыпается – башка квадратная, весь перекошенный, перегаром несет… Подходит к попу:

– Святой отец, ну как я вчера отчитал?

– Ну, в общем-то ничего, но были некоторые неточности…

– Вы хоть скажите какие, чтобы я не повторялся…

– Ну ладно… Только я тебе сказал остаканиться, а не awграфиниться, к алтарю выходят на двух ногах, а не на четырех, рясу в трусы не заправляют, кадилом махают вперед-назад, а не над головой, прихожане, а не чуваки, Христа распяли евреи, а не менты, в Священном Писании, кроме Божьей Матери, никакой другой не упоминается, нужно говорить не «п… ц тебе, грешник», а «Господь вам все простит», было 12 апостолов, а не 12 опе…лов, по окончании службы надо отпускать с миром, а не посылать, заканчивается молитва словом «Аминь», а не «п…ц».

♦

Едут по пустыне на верблюдах еврей и хохол, у еврея полный рюкзак денег, а у хохла полный жратвы. Еврею есть хочется, он и говорит:

– Послушай, давай в базар поиграем – ты разложишь твою еду, а я у тебя что-нибудь куплю.

– Давай.

Хохол разложил еду, еврей подходит и спрашивает:

– Сколько стоит этот кусок сала?

– Рюкзак денег.

– А почему так дорого?

– А ты походи, потолкайся по базару, может, у кого подешевле найдешь.

♦

Пошли в кино еврей и чукча. На экране разворачивается сцена, где женщина собирается выброситься с 50-го этажа. Чукча и говорит еврею:

– Спорим, что она не прыгнет?

– Прыгнет! – отвечает еврей.

Поспорили. Женщина прыгнула и разбилась. Еврей, естественно, выиграл спор, но от выигрыша отказался и объяснил чукче:

– Понимаешь, я заранее знал, что она прыгнет, – видел уже этот фильм.

– Я тоже уже видел эта фильма, – отвечает чукча, – но думал, однако, что у нее хватит ума во второй раз не прыгать.

♦

Приземлилась летающая тарелка. Из нее выходят два гуманоида. Их обступили люди и спрашивают:

– У вас там все такие маленькие?

– Все.

– И все такие зеленые?

– Все.

– И у всех золотые зубы?

– Нет. Только у евреев.

♦

В такси едут трое: американец, еврей и русский. На крутом повороте такси вылетает с дороги и падает в ущелье. Американец в страхе читает молитвы, русский – кроет все трехэтажным матом, а еврей кричит шоферу:

– Шеф, счетчик выключи!

♦

– Зачем нужен Биробиджан, если есть Израиль?
– Не все евреи одинаково полезны!

♦

Одесского еврея спросили:
– Скажите, каков состав населения в Одессе в процентах?
– Десять процентов русских, десять – украинцев, остальные восемьдесят – местное население.

♦

Все народы любят хвастаться своими победами, и только евреи уже не одну тысячу лет жалуются, как их обижают.

♦

Путешествуют по Ирландии англичанин и еврей. Останавливаются на ночь в захудалом постоялом дворе, хозяин которого, извиняясь, говорит, что одному из них может предложить только одну малюсенькую комнатку с кроватью, а второму придется спать на сеновале. Сославшись на какую-то недавно сделанную ему англичанином услугу, еврей великодушно соглашается переночевать в хлеву. Однако не успел англичанин начать дремать, как раздался робкий стук в дверь. Англичанин встал, открыл, там еврей.

– Понимаешь, Джон, там в хлеву две такие вонючие жирные свиньи… Я не могу там спать… Для меня это нечистые животные… Ну, ты же знаешь…

Англичанин вздохнул и направился на сеновал. Не успел еврей задремать, как раздается стук в дверь. Еврей встал, открыл. Там стоят две свиньи…

♦

Выходит старый еврей из своего дома и видит над городом огромную радугу. Посмотрел и говорит:

– Да! На это у них деньги есть!

♦

Посвящается арабо-израильскому конфликту.

Во время очередных военных действий рота израильских солдат сидела в окопе. Вдруг командир подымает всех в атаку:

– Ребята, орлы, все за мной, в атаку!!!

Вся рота поднялась в атаку, но два еврея остались. После жестокого боя раненый командир вызывает этих двух бойцов и зло вопрошает:

– Дезертиры, я отдам вас под трибунал! Почему не выполнили приказ? Вы что, не слышали, как я звал всех в атаку?

– Как же не слышали, мы все хорошо слышали. Вы, господин командир, сказали: «Орлы, за мной в атаку!» А мы не орлы, мы – львы. Он, например, – Лев Шиндельман, а я – Лев Цукерман…

♦

Идет худой немощный еврей. К нему подбегает сзади Иван и хрясть еврея по репе. Еврей падает.

– За что?

– За то, что Христа нашего распяли!

– Но ведь это было 2000 лет назад!

– Ну и что? Я только вчера узнал!

♦

Русского спрашивают:

– Ты Родину любишь?

– Люблю!

– Умереть за нее сможешь?

– Смогу!

Тоже спрашивают у еврея:

– Ты Родину любишь?

– Люблю!

– А умрешь за нее?

– Нет!

– Почему?

– А кто же тогда будет любить Родину?

♦

Петька благодаря Фурману пополнил свои знания по всемирной географии и решил подколоть Чапаева:

– Василий Иванович, Гольфстрим замерз!

Чапаев вспылил:

– Я же говорил – евреев в разведку не брать!

♦

Еврейская семья в гостях:

– Моня! Это не кушай, это у нас дома есть!

♦

– Чем отличается еврейская мама от арабского террориста?

– С террористом все-таки можно договориться…

♦

В Америке еврей заходит в бар и обращается к темнокожему бармену:

– Мне виски, понял, ты, черномазый ублюдок?

Бармен, привыкший сохранять спокойствие в любых ситуациях, отвечает:

– Не очень-то это вежливо с вашей стороны. Ведь если бы я к вам так обратился, вы бы, наверное, очень обиделись.

– А мы можем попробовать. Давай, я встану за стойку, а ты как будто клиент.

Еврей встает за стойку, негр подходит к нему и говорит:

– Мне виски, понял, ты, грязный жид?

Еврей:

– А здесь черномазые ублюдки не обслуживаются!

♦

– Вчера был в новой еврейской столовой.

– Ну и что ел?

– Как обычно: борщ, котлеты с макаронами, оливье, компот.

– А почему же она еврейская?

– Да порции очень маленькие.

♦

Сталкиваются две машины на дороге. Обе разбиты, а пассажиры целы. Из одной вылезает поп, из второй – еврей. Люди культурные, морды бить друг другу не стали…

– Бог дал, Бог взял, – говорит поп.

– Как пришла, так ушла, – говорит еврей. – Давай выпьем с горя…

– Давай.

Достал еврей бутылку коньяка, себе налил и попу.

Поп выпил. Еврей – нет…

– А чего ты не пьешь? – спрашивает поп.

– Э нет, – говорит еврей, – я инспектора подожду.

♦

Как появилась первая медная проволока?

Два еврея нашли медную монету.

♦

Водил Моисей 40 лет евреев по пустыне, ходил и приговаривал:

– Шо, таки никто не видел мои 8 шекелей?

♦

Один англичанин – джентльмен.

Два англичанина – светская беседа.

Три англичанина – парламент.

Один француз – любовник.

Два француза – дуэль.

Три француза – Парижская Коммуна.

Один еврей – торговая точка.

Два еврея – небольшой базар.
Три еврея – цыганский народный хор.
Один русский – пьяница.
Два русских – мордобой.
Три русских – партийная ячейка.

♦

Еврейская дилемма: ветчина на халяву.

♦

Мужчины умирают преждевременно по двум причинам – наличию или отсутствию женщины.

♦

Если бы спорт улучшал здоровье, у каждого еврея дома была бы перекладина.

♦

На еврейскую свадьбу попал молодой человек, знавший на идиш только слова «тухес» да «нахес». Все, как положено, желают молодоженам всего… Пришлось и ему тост произнести – только перепутал он слова:

– Желаю, – говорит, – молодым большого ТУХЕСА!..

Гости все наморщились, зафукали… только старый еврей не растерялся:

– Большой тухес – тоже хороший нахес…

♦

Нет такого слова в русском языке, которое не могло бы стать фамилией еврея.

♦

Выталкивают еврея пинком под зад из здания УВД. Тот, поднимаясь и отряхиваясь от пыли, бормочет:

– Если вы будете так делать, к вам никто не будет ходить.

♦

Умер старый еврей. Родственники долго думали, как покороче написать телеграмму. В итоге пишут: «Изя все». Приходит ответ: «Ой».

♦

Русский встречает своего друга еврея, с которым они давно не виделись.

Еврей:

– О, привет, давно не виделись, нужно отметить нашу встречу, идем, я угощаю. Ты что будешь?

– То же, что и ты.

– Отлично! Тогда пойдем глотнем свежего воздуха.

♦

Новый русский решил сделать ремонт у себя на вилле.

Открыл газету, видит объявление: «ЕВРОРЕМОНТ».

В общем заказал. На следующий день приезжают к нему украинцы, а тот им и говорит:

– Во дела, в натуре. А я думал, евреи будут.

♦

Выступает в ООН посол Израиля:

– Я хочу начать свою речь с экскурса в историю. Давным-давно Моисей водил евреев по пустыне. Было жарко, хотелось пить. Тогда Моисей ударил рукой по дюне, и превратилась она в озеро. Евреи напились, а Моисей скинул одежды пошел купаться. Когда он вышел из воды, одежды не было. Скорее всего, ее украли арабы!

Ясир Арафат вскакивает:

– Ложь! В то время не было там никаких арабов!!!

Посол Израиля:

– Вот именно с этого я и хотел начать свою речь.

♦

Революция, экспроприации, грабежи, погромы… В квартиру старого еврея вваливаются революционные матросы:

– Золото, драгоценности есть?

– Вам надо, вы и ищите…

Матросы простукивают стены, пол. Находят пустоту под полом по центру комнаты:

– Что у тебя там?

– Вам надо, вы и смотрите…

Снимают паркет – там большой железный лист, из которого торчит навинченный на гайку болт. Матросики резво отвинчивают гайку, болт проваливается вниз. Смотрят в отверстие:

– Слышь, дед, а чего у тебя там люди какие-то бегают?

– Да понимаете, я прямо над театром живу, а болтом люстра крепилась…

♦

Идеальная футбольная команда:

– нападение – полностью состоит из евреев, преследование которых категорически запрещено;

– средняя линия – негр, китаец и араб, они делают игру более пестрой;

– защита – гомосексуалисты, которые обеспечивают интенсивное давление сзади; –

в воротах необходимо поставить 50-летнюю старую деву, которая такой продолжительный срок идеально защищает свои ворота.

♦

Один старый еврей очень любил смотреть порнографические фильмы задом наперед... уж очень ему нравилось смотреть, как проститутка деньги назад отдает.

♦

На митинге «Памяти» выступает генерал Макашов. Выкрикивает лозунг:

– Всех евреев в гробы!

Из толпы раздается голос Владимира Волкова:

– Позвольте, но есть же и хорошие евреи.

Макашов:

– Хороших евреев – в хорошие гробы.

♦

Спорят два еврея:

– Черный – это цвет.

– Нет, черный это не цвет.

– Да говорю тебе, черный – это цвет.

– Да никогда в жизни!

– Точно говорю, черный – это цвет.

– Ничего подобного.

– Ладно, пойдем спросим у раввина, что Тора об этом говорит.

Пошли к раввину. Тот посмотрел в Торе и говорит:

– Да, в Торе сказано, что черный – это цвет.

– Вот! Что я тебе говорил? Черный – это цвет!

– Ладно, черный – это цвет. Но не белый.

– Что? Белый не цвет? Белый – это цвет!!!

– Нет, белый это не цвет.

– Как так, белый не цвет? С каких это пор?

– Вот так, не цвет и все.

– Ладно, пойдем спросим у раввина, что Тора об этом говорит.

Опять пошли к раввину. Тот опять посмотрел в Торе:

– Тора говорит, что белый – это цвет.

Первый еврей радостно:

– Ну? Что я тебе говорил? Я тебе продал ЦВЕТНОЙ телевизор!!

♦

Пошел арабский мальчик в еврейскую школу. Учитель его спрашивает:

– Мальчик, как тебя зовут?

Мальчик отвечает:

– Мухаммед.

Учитель изумленно:

– Это же еврейская школа, тебя изобьют, будь Мойша.

– Ну ладно, – отвечает мальчик.

Приходит после школы домой, папа ему говорит:

– Мухаммед, принеси воды.

Мальчик не отзывается. Он ему еще раз – мальчик ноль эмоций. Папа его спрашивает:

– Что случилось?

– Меня зовут Мойша.

Ну папа с мамой его за такие дела поколотили. На следующий день приходит он в школу весь синий. Учитель его спрашивает:

– Мойша, что с тобой?

– Вчера прихожу домой – два араба избили…

♦

Звонок по телефону.

– Алло! Общество «Память» слушает.

– Здгавствуйте! Это Рабинович. Скажите, пгавда, евреи Россию продали?

– Правда, конечно. Чего тебе еще?

– Скажите, где я могу получить свою долю?

♦

Еврейский юноша решил жениться и рассказывает об этом своей матери.

– Мам, я решил сделать тебе сюрприз. Я приведу в дом сразу трех девушек, а ты попробуешь догадаться, какая из них моя невеста.

На следующий день он приводит домой трех девушек – блондинку, брюнетку и рыженькую.

Вечер проходит превосходно, все довольны. Когда гостьи разошлись по домам, он спрашивает у матери:

– Мам, ну как ты думаешь, кто она?

– Рыжая, без сомнения! – говорит мать.

– Мамочка, – расплывается в улыбке сын, – но как ты догадалась???

– А она мне сразу не понравилась…

♦

Еврей переходит госграницу СССР. Из кустов раздается окрик:

– Стой! Кто идет!

– Ша! Ша! Ша! Уже никто никуда не идет!

♦

Кто такие русские и москали?

– Русские живут в России, а москали помогают строить Незалежну Украину.

Кто такие евреи и жиды?

– Евреи живут в Израиле, а жиды помогают строить Незалежну Украину.

Кто такие украинцы и рогули? (Прим. «Рогуль» – забитый украинец из отдаленного села.)

– Украинцы живут в Канаде, а рогули мешают жидам и москалям строить Незалежну Украину.

♦

Сидят в ресторане еврей и шотландец…

Настало время платить, официант подходит со счетом – вдруг еврей:

– Давайте счет мне – я за все плачу!

…На следующее утро в газетах заголовки: «Вчера в ресторане был зверски задушен шотландец-чревовещатель»…

♦

ТЕЛЬ-АВИВ. Согласно решению Кнессета, в День Независимости нашей родины всем евреям разрешено есть сало. Гуманитарная партия сала уже вылетела из Борисполя.

♦

– Мама, что такое пятиконечная звезда? – спрашивает Изя у Фриды.

– Это обрезанная шестиконечная, сынок.

♦

Расписание работы поликлиники имени Чумака-Кашпировского:

Бабка-шептуха – как стемнеет.

Костоправ-захребетник – когда скрутит.

Сглазник – 13 числа в 13.00.

Травник-отравник – на сборах.

Бородавочник – круглосуточно на болоте.

Глистогон (детск.) – после 6-го урока.

Заговорщик (от кариеса, перхоти, дефолта) – ежедн. (после реклам, блока).

Грибник-ножник – после дождя.

Опохментолог – с утра.

Плоскостоп – в военкомате.

Обрезчик (еврейск.) – ежед. (кроме субботы).

Хренолог (мужск.) – как приспичит.

Лысник (плеши и проплешины) – когда лысый свистнет.

♦

Обращается в американскую авиакомпанию группа из 50 евреев – лететь на Святую Землю. Ну, все нормально, оформляют – летят. Стюард думает: «50 евреев – это ж если каждый даст хоть по доллару на чай – пятьдесят долларов будет. А если по 10 долларов (вроде богатые же)…» Ну, весь полет старался как мог: водички, пледиком укрыть и т. д. Кончился полет, стюард стоит у выхода:

– Благодарим, что воспользовались услугами нашей компании, ожидаем вас в следующий раз…

Подходит один:

– Благодарим вас, молодой человек, полет надолго запомнился нам…

Подходит второй:

– Ваша мать воспитала достойного сына – она может гордиться вами…

И так 49 проходят, последним идет седой благообразный ребе:

– Молодой человек, нам было крайне приятно пообщаться с вами, ваша мать должна быть довольна таким сыном… Да, кстати, мы посовещались и решили вручить вам чек на 5 тысяч долларов.

И закричал стюард вслед уходящим евреям:

– Евреи! Я верю – вы не убивали Христа. Но как вы его мучили!..

♦

Сорок лет водил Моисей евреев по пустыне и все-таки нашел то единственное место, в котором нет нефти…

♦

Летят в самолете грузин, еврей, чукча и русский. Вдруг вбегает летчик и говорит:

– Самолет падает, а парашютов только 4.

Взял парашют и прыгнул. Осталось 3.

Грузин говорит:

– У меня 20 детей, мне прыгать надо.

Осталось 2 парашюта.

Еврей:

– Ну, у меня нация самая умная, мне тоже прыгать надо.

Остался один парашют.

Русский говорит:

– Чукча, ты прыгай, а я как самый храбрый погибну.

Чукча отвечает:

– Ну ты, однако, дурак. Прыгай со мной, я еврею рюкзак дал, он умный, что-нибудь придумает…

♦

Студент встречает в автобусе знакомого, увлеченного чтением.

– Что читаешь?

– Да про артиллеристов… «Пушкин».

– А кто написал?

– Да еврей какой-то – «Детгиз».

♦

Попали в одну камеру разбойник и хакер.

Разбойник:

– Я вот сижу за ограбление магазина… А ты за что сидишь?

Хакер:

– Ограбил банк на 7 миллионов долларов…

Разбойник:

– Да ты че… ни фига себе… как же ты унес их из банка – денег-то офигенно много?

Хакер рассказывает в общих чертах о компьютерах, сетях, взломах и т. д.

– Ну ни фига себе, а как же ты попался?

– Брандмауэр засек, и сработала защита...

– Ах ты… Брандмауэр, твою мать… Всегда знал, что евреев опасаться надо…

♦

– Простите, молодой человек! Вы еврей???

– Не-е-е-т, я русский!

– Да-а?! А я американский!

♦

На опере «Евгений Онегин» еврей толкает свою жену в бок:

– Пока ты спала, Ленский послал Онегину вызов.

– Ну и шо, он поедет?

♦

– Какая разница между «новым русским» и «новым хохлом»?

– Никакой. И тот и другой – хорошо забытый старый еврей.

♦

– Почему нет папуасского джаз-оркестра?

– Не каждый порядочный еврей засунет себе в нос кольцо.

♦

На аукционе «Сотби» продают попугая, который можст говорить на всех языках мира. Покупатели решили проверить это. Первым подошел англичанин: Do you speek English? Попугаи на чистом кокни ответил: Yes, of course! Далее подходили французы, немцы, чехи и т.д. Все остались довольны. Последним подошел еврей и говорит: Du freshen Idish? («Ты говоришь на идиш?») Попугай обиженно нахохлился и ответил: Рос, giba kik al may nus!!! («Посмотри на мой нос, дурак»).

♦

В Варшаве на углу улицы Брежнева и улицы Косыгина встречаются два еврея.

– А при Пилсудском мы все-таки ели мясо!

Проходят годы, и они снова встречаются на том же углу, но это уже угол улицы Мао Цзедуна и Лю Шаоци.

– А при Советах мы все-таки ели!

Проходят еще годы, и они снова встречаются на том же углу, но это уже угол улицы Лумумбы и Кваме Нкрума.

– А при китайцах нас все-таки не ели!

♦

Умирает старый еврей. К нему приходит прощаться его друг, тоже очень старый еврей, и говорит: «Зяма, ты скоро будешь на небесах, там встретишься с НИМ, так вот, если он спросит про меня, то ты меня не видел и вообще не знаешь».

♦

Два еврея идут. Один предлагает другому:
– Ну что, ко мне на чай?
– А почему бы и нет?
– Ну нет, так нет.

♦

В завещании скупого еврея было пожелание, чтобы наследники положили в гроб все деньги, которые он скопил. Наследники долго мучались, утаптывая ногами в гроб кучу денег, но у них ничего не получалось. Позвали раввина.

– Что вы делаете? Зачем издеваетесь над покойником? Заберите себе наличные и выпишите ему чек!!!

♦

В израильскую армию прибыл инспектирующий американец. Два генерала идут по расположению воинской части.

– Дисциплина у вас ни к черту не годится! – замечает американский генерал. – Только что мимо прошел рядовой и даже не поприветствовал нас.

– Что вы говорите? Ну сейчас я ему устрою!!!

Еврейский генерал догоняет солдата и дергает его за рукав:

– Зяма, ты что? Обиделся на меня?

♦

– Были фараоны и евреи. Фараоны вымерли, евреи остались. Были инквизиторы и евреи. Инквизиторы вымерли, евреи остались. Были нацисты и евреи. Нацисты вымерли, евреи остались. Теперь есть коммунисты и евреи…

– Ты что хочешь сказать?

– Ничего. Но евреи вышли в финал!..

♦

Еврей у раввина.

– Ребе, чем жена отличается от жемчужины?

– Жену можно нанизать только с одной стороны, а жемчужину с обеих.

– Ребе, но я могу нанизать свою жену с двух сторон.

– Тогда у тебя не жена, а жемчужина.

♦

Во время петлюровского погрома: старый еврей висит на крюке, подвешенный под лопатку на дверном косяке. Мимо проходит Петлюра.

– Как дела? – спрашивает он у еврея.

– Ха-гра-шо.

– Больно?

– Нет, нет, что вы! Только когда смеюсь.

♦

Встречаются два еврея. Один спрашивает:

– Слушай, Сема, ты знаешь, кто был по национальности Мао Цзедун?

– Не может быть…

♦

На стройку приходит новый мастер и видит, что работают две бригады рабочих – арабы и евреи. Евреи носят по одному кирпичу, а арабы – по два. Мастер спрашивает у прораба:

– Почему евреи носят по одному, а арабы по два?

– Ты что, этих арабов не знаешь, им даже за лишним кирпичом сходить лень.

♦

– Один еврейский шахматист сделал потрясающее открытие – оказывается, других шахматистов просто не бывает…

♦

– И собрал Бог израильтян и сказал им: «Отныне вы будете называться евреями». Сказал, как обрезал.

♦

– Господа пассажиры, своевременно оплачивайте проезд: в салоне работают контролер и двое карманников.

♦

Встречаются вождь индейцев и вождь папуасов. Вождь папуасов:

– А как у тебя еврейский вопрос решается?

– А очень просто: у меня евреев нет – и вопроса нет! А у тебя?

– А у меня плохо. Сколько я ни объясняю своему племени, что евреи такие же люди, как и мы, все равно не едят!

♦

К мирно дремлющему в купе поезда еврею подходит проводник:

– Простите, ваш билет – до Бердичева, а этот поезд идет совсем в другую сторону.

– И часто ваши машинисты так ошибаются?

♦

Представители разных народов собрались за столом в ресторане. Все заказали по бокалу вина, но, когда вино принесли, оказалось, что в каждом стакане муха.

Швед потребовал новое вино в тот же стакан.

Англичанин – новое вино в новый стакан.

Финн вынул муху и выпил вино.

Русский выпил вино вместе с мухой.

Китаец съел муху, но вино оставил.

Еврей выловил муху и продал ее китайцу.

Цыган выпил две трети стакана и попросил его заменить.

Норвежец взял муху и отправился ловить треску.

Ирландец измельчил муху в вине и отправил бокал англичанину.

Американец начал судебный процесс против ресторана и потребовал 65 миллионов долларов в возмещение морального ущерба.

Шотландец схватил муху за горло и закричал: «Сейчас, к чертовой матери, выплюнешь все, что выпила!»

Мачо заорал, что это происки социал-демократов, засадил официанту нож, не пил, естественно, вина, так как это – женский напиток, и громко вопрошал, отчего не несут давно заказанную водку.

♦

Хоронят старого еврея, родственники, выполняя волю умершего, кидают деньги в гроб. Проходящий мимо мужчина советует им выписать чек и кинуть его в могилу, а деньги забрать.

Послушались, значит, родственники его, выписали чек, положили в гроб, а деньги отнесли обратно в банк. Через неделю банк обанкротился. Родственники сокрушаются:

– Боже, за что же нам такое наказание?

Тут раздается голос сверху:

– Это ваш родственник решил чек обналичить…

♦

Профессор спрашивает студента на экзамене:

– Какие вы знаете виды родов?

– Преждевременные, запоздалые, неправильные.

– Подробнее, пожалуйста.

– Преждевременные – за год до свадьбы, запоздалые – через три года после смерти мужа, неправильные – когда вместо жены рожает соседка.

♦

Сидит мужик дома... Звонок в дверь. Открывает – на пороге еврей стоит:

– Пгостите, это не вы вытащили вчега из пгогуби евгейского мальчика?

– Ну я.

– А шапочка, пгостите, где?

♦

Приходит пара к врачу. Доктор спрашивает:

– Ну что у вас?

– Да вот, доктор, муж у меня страдает от преждевременной эякуляции.

– Я? Я не страдаю! Это она страдает.

♦

– Ребе, у меня проблема! Я наполовину еврей, а наполовину – украинец...

– Понимаю, понимаю... Обрезать – жалко, надкусить – больно.

♦

Один еврей построил дом и показывает его другу:

– Смотри, Изя, это прихожая, это кухня, это спальня, а это столовая…

– Абрам, а зачем тебе такая большая столовая???

– Изя. В этой столовой может одновременно обедать, НЕ ПРИВЕДИ ГОСПОДЬ, пятьдесят человек!!!

♦

Надпись над выходом в тренировочном самолете:

Уважасмыс курсанты, персд выброской из самолета, не забывайте свои парашюты, о парашютах, оставленных другими курсантами, своевременно сообщайте пилотам или наземной медицинской команде…

♦

Бог собрался в отпуск и спрашивает святого Петра, куда бы ему поехать.

– А почему бы не на Юпитер? – сказал Петр.

– Ах, там слишком большая гравитация, тяжело ходить.

– Может, на Меркурий?

– Слишком жарко.

– Хорошо, может, тогда на Землю?

– Не-е… Там такие ужасные сплетники… Когда я там был последний раз 2000 лет назад, у меня был, ну, роман с одной еврейской женщиной. Так вот они до сих пор об этом говорят!

♦

Директриса женского лицея звонит на военную базу. Трубку снимает лейтенант.

– У нас в субботу в лицее праздник с танцами, не могли бы вы прислать нам 30 молодых симпатичных солдат.

– Конечно, пришлем, никаких проблем.

– Только, пожалуйста, проследите, чтобы среди них не было евреев.

– Нет проблем. Все сделаем, как просите.

В назначенный день к лицею подкатывает автобус, из него весело выскакивают 30 солдат-негров во главе с сержантом.

Директриса (обалдевшая):

– Что это такое? Это какая-то ошибка!

– Ну что вы, никакой ошибки, – отвечает сержант. – Лейтенант Голдберг никогда не ошибается!

♦

По маме он был русским, а вот по другу отца таки нет.

♦

Матч чемпионата мира по футболу СССР – Германия. На поле выходит германская команда, вместо нашей выбегает один Протасов, сильно с бодуна. Судья:

– А где, собственно, команда?

Протасов: Понимаете, ребята уквасились вчера здорово, только один я и успел проспаться.

– Как же вы будете играть?

– Да вот…

Вдруг на поле появляется Рабинович и кричит Протасову:

– Запиши меня, сыграем!? Записывай, выиграем обязательно!

Через некоторое время он его уломал. Прошло 80 минут, голос диктора:

– Итак, мы ведем репортаж с матча сборных СССР и Германии. Счет 40:0!

Одиннадцать истинных арийцев бегают по всему полю за евреем, а Протасов забивает свой 41 мяч в пустые ворота!

♦

Маленький Моня после очередного скандала родителей спрашивает заплаканную маму:

– Мама, и сколько лет ты замужем?

– Семь лет, сынок.

– И сколько же тебе еще осталось?!? ...

♦

Убивается вдова старого еврея:

– Ой, вы знаете, ему так не везло всю его жи-и-изнь, ну вы знаете, ему всю жи-и-изнь так не везло, у него все было так плохо… И только когда он умер, – вы слышите – ему таки повезло: когда копали могилу, нашли нефть.

♦

Сара Самуиловна сидит на диване и гладит своего бультерьера.

Увидев зятя, командует:

– Зять!!!

♦

В детстве Михе Шумахеру мама вместо слюнявчиков вешала брызговички, и вот…

♦

Еврейская мама кричит сыну, сидящему на дереве:

– Моня выбирай: или ты сейчас таки упадешь и шею себе сломаешь, или ты сейчас же слезешь, и я таки набью тебе морду!

♦

У Пети Иванова половина одноклассников уехала на ПМЖ в Израиль и США. Петя приходит домой спрашивает:

– Пап, а мы евреи?

– Не-е-т!?

– А скоро будем?

♦

– Таки самым счастливым на Земле мужчиной был Адам – тещи у него не было!

– Да нет все-таки какая-то змея там была...

♦

– Запомни дочка, умение накормить еврейского мужчину делает любую женщину в полтора раза красивее, и размер груди увеличивает на один размер. А напоить – все перечисленное повышает примерно втрое.

♦

– Рабинович, будь другом, дай совет, на ком мне жениться: на сорокапятилетней богатой вдове или на бедной молоденькой девушке, которую люблю?

– Конечно, на девушке, ведь в семейной жизни самое главное – это любовь. И кстати, что это за вдова, почему не знаю, где она живет?

Таки еще
**смешные анекдоты
про махровых евреев
короткие (обрезанные)
и еврейские фразы**,
их есть у меня

– Ребе, вы случайно не знаете, сколько тогда Иуда получил по нынешнему курсу?

◆

– Чего больше всего стоит бояться?
– Что китайцы смогут научиться воевать, как евреи, или что евреи станут размножаться, как китайцы.

◆

Нам чужого не надо, но уж свое-то мы возьмем, и чье бы оно ни было.

◆

– Ребе, а можно будет обжаловать решение Страшного Суда в Страшном Апелляционном Суде?

◆

Возвращается Рабинович из командировки. Заглянул в шкаф – никого, посмотрел под кроватью – тоже пусто и на балконе никто не висит. Возвращается в комнату понурый, а жена ехидненько:
– Ну, таки что, не повезло? Придется тебе на этот раз за всех отдуваться!

– Ребе, ви случайно не знаете, сколько тогда Иуда получил по нынешнему курсу?

♦

– Чего больше всего стоит бояться?

– Что китайцы смогут научиться воевать, как евреи, или что евреи станут размножаться, как китайцы.

♦

Нам чужого не надо, но уж свое-то мы возьмем, и чье бы оно ни было.

♦

– Ребе, а можно будет обжаловать решение Страшного Суда в Страшном Апелляционном Суде?

♦

Возвращается Рабинович из командировки. Заглянул в шкаф – никого, посмотрел под кроватью – тоже пусто и на балконе никто не висит. Возвращается в комнату понурый, а жена ехидненько:

– Ну, таки что, не повезло? Придется тебе на этот раз за всех отдуваться!

♦

Предпоследний еврей уезжает из России и последнему еврею говорит:

– Анатолий Борисович, будешь уезжать, не забудь выключить им свет.

♦

– Розочка, на твоем дне рождения ты была самой красивой.

– Спасибо! Я старалась!! Главное – тщательно гостей подобрать!

♦

– Мама, я таки хочу жениться.

– Таки женись, кто ж тебе не дает?

– Никто.

♦

– Запомни, Сарочка: дети наша радость, а мужчины наша слабость. Таки вот, один раз расслабишься – всю жизнь потом радуешься.

♦

Звонит телефон:

– Дорогая! Только что я вышел из кризиса!

– Правда!? Честно!?
– Таки нет, обычным путем.

♦

– Сема! Ни фига себе! Это что, у тебя тараканы едят из своей тарелочки?
– Да…
– А травить их не пробовал?
– Зачем? Ты же знаешь, что нам, евреям, договориться-то проще…

♦

– И вы еще будете спрашивать, как я к сексу отношусь? Да я ему жизнью обязан!

♦

– Знаешь, Изя, среди наших встречаются такие, которые возьмут в долг, а потом исчезают: не позвонят, не напишут...
– И шо?
– И тебе не нужны деньги?

♦

Решил купить еврей у крестьянина осла. Заплатил 100 долларов. Договорились, что крестьянин приведет осла с утра.

Утром приходит к еврею весь расстроенный:

– Сдох осел.

– Тогда верни деньги.

– Не могу – потратил.

– Тогда неси осла.

– А зачем он тебе дохлый?

– Не волнуйся, я и на дохлом заработаю, приходи через недельку – расскажу.

Через неделю приходит крестьянин к еврею: мол, ну как получилось?

– Да, я на твоем осле заработал 198 долларов!

– А как?

– Я сделал 100 лотерейных билетов по 2 доллара, главный приз – осел! И продал их все.

– Так осел сдох!

– Ну так я победителю вернул его 2 доллара.

♦

– Слушай, ты не знаешь, почему у евреев такие большие носы?

– Потому что воздух бесплатный…

♦

«Новый еврей» открыл магазин, в котором продаются саксофоны, трубы, барабаны, гробы, ружья и пистолеты. Журналист:

– Семен Маркович, ну и как идет торговля таким странным набором товаров?

– Отлично! Позавчера мы продали трубу, вчера – ружье, а сегодня – гроб.

♦

– Бабушка, а я русский или еврей?

– А в чем дело, внучек?

– Да нам в садике новые игрушки дали. Вот я и думаю: сломать или домой унести.

♦

Сидит ворона на суку. Бежит заяц:

– Ворона, ты это, что делаешь?

– Ничего я не делаю.

– А можно я тоже посижу, ничего не делая?

– Садись.

Сел под куст зайчик, лапки сложил... Пробегала мимо лиса, заметила зайца и съела.

Ворона:

– Да, нехорошо получилось! Чтобы сидеть и не делать ничего, однако, надо высоко сидеть...

♦

Ползет мужик по пустыне, изнемогает от жажды:

– Господи, как же я пить хочу, об одном молю: дай воды… а ты мне уже третий день лопаты сбрасываешь!

♦

Угрюмый мужик едет в троллейбусе. Хмуро думает:

– Вокруг одни сволочи, начальник – болван, жена – стерва, дети – дебилы.

За спиной стоит его ангел-хранитель и все старательно записывает в блокнот:

– Так, вокруг одни сволочи, начальник – болван, жена – стерва, дети – дебилы.

И недоумевает: – Ну сколько можно одно и то же? И зачем это ему все время? Ну да ладно, раз заказывает – буду исполнять …

♦

Подходит к воротам рая солидный мужик с седой бородой и тюрбаном на голове. Встречает его апостол Петр:

– Боевикам «Аль-Каиды» вход в рай строго запрещен!

– Да я входить и не собираюсь, я пришел сказать, что у вас есть полчаса, чтобы эвакуировать всех наружу!

♦

Охотник зимой разбудил медведя, а ружье дало осечку. И вот бежит он что есть мочи, а весьма сердитый мишка за ним.

Чует мужик – кердык ему подходит, и вспомнил он о Боге (типа гром грянул – пора креститься):

– Господи! Всю жизнь я был атеистом, но все равно прошу: если не меня, то хоть медведя сделай христианином!

Вдруг медведь приостановился, молитвенно сложил лапы, поднял благообразную морду к небу:

– Спасибо, Господи! Хороший ужин ты мне сегодня послал.

♦

Звонок в дверь.

– У вас кран течет?

– Нет...

– Сидоровы тут живут?

– Нет, переехали они три месяца назад...

– Что за люди! Сантехника вызвали, а сами, видите ли, пере-е-е-ехали!

♦

– А мне вот с тещей повезло просто сказочно.

– Неужели? И где же тебе откопать такое сокровище удалось?

– Закопал, дружище. Закопал.

Анекдоты про религию и философские

Встретились на мосту батюшка и атеист. Слово за слово, атеист дает батюшке пощечину.

Батюшка молчит, утирается.

По другой щеке – бабах.

Батюшка молчит, утирается.

Вдохновленный атеист и третью пощечину влепил.

Вздохнул батюшка, взял атеиста за грудки и бросил в воду.

– Ага, не по-христиански! В Библии что сказано – подставить другую щеку!

– Про третий то раз ничего в Библии не сказано!!!

◆

По-видимому, Бог создавал женщину позже потому, что не захотелось ему слушать советы при создании мужчины. Знал ведь, что не угодит все равно.

◆

Одесса. Порт. Уже несколько часов идет посадка на теплоход, отплывающий в Израиль, а народ все идет. Провожающий интересуется у капитана-южанина:

– Таки шо, корабль безразмерный?

– Дарагой, зачэм безразмэрный – бездонный, да!

Встретились на мосту батюшка и атеист. Слово за слово, атеист дает батюшке пощечину.

Батюшка молчит, утирается.

По другой щеке – бабах.

Батюшка молчит, утирается.

Вдохновленный атеист и третью пощечину влепил.

Вздохнул батюшка, взял атеиста за грудки и бросил в воду.

– Ага, не по-христиански! В Библии что сказано – подставить другую щеку!

– Про третий то раз ничего в Библии не сказано!!!

♦

По-видимому, Бог создавал женщину позже потому, что не захотелось ему слушать советы при создании мужчины. Знал ведь, что не угодит все равно.

♦

Одесса. Порт. Уже несколько часов идет посадка на теплоход, отплывающий в Израиль, а народ все идет. Провожающий интересуется у капитана-южанина:

– Таки шо, корабль безразмерный?

– Дарагой, зачэм безразмэрный – бездонный, да!

♦

Любого человека без объяснений можно лет на десять в тюрьму посадить, и где-то там, в глубине души, наверняка он найдет за что.

♦

Психологи установили, что основными причинами, по которым мужчина проводит все вечера в баре (гараже, стадионе, на работе):

а) У него жены нет;

б) У него жена есть.

♦

Приходит сатана к Богу с пузырем.

– Чего это вдруг?

– Так ведь сегодня у меня праздник – День ангела.

♦

В утробе. Один из близнецов спрашивает другого:

– Интересненько, а есть ли там жизнь после рождения?

– Не знаю, не знаю, пока оттуда еще никому не удалось вернуться...

♦

Когда близнецы родились, их отец – научный сотрудник одного крестил, а другого в качестве контрольного образца оставил некрещеным.

♦

Плохая привычка употреблять водку по вечерам вырабатывает хорошую привычку по утрам пить полезные: рассол, кефир, минералку. Диалектика, однако.

♦

Два еврея едут мимо здания, бывшего раньше публичным домом.

– Э-э-х! – вздыхает один.

– И ви будете мне рассказывать!

♦

Идет араб по пустыне, жажда мучает. Вдруг видит – стоит ларек, в окошке еврей. Араб обращается к нему:

– Будь человеком, дай воды напиться.

– Воды нет, но могу продать тебе красивый галстук.

– На хрена мне галстук в пустыне? Воды лучше дай!

– Да нет у меня воды! Но в километре отсюда есть ресторан, им владеет мой брат. Ступай туда, он тебе даст воды.

Через час приползает араб с высунутым языком.

– Давай свой дурацкий галстук!

– А что такое?

– Твой брат меня без галстука в ресторан не пускает!

♦

Еврей поступает в аспирантуру на кафедру истории... На экзамене он отвечает на все вопросы, но от него требуют все новых имен и дат.

– Историку нужна особенно хорошая память! – говорят ему.

– О, у меня прекрасная память... Себя я помню с восьмидневного возраста: надо мной склонился седобородый еврей и отрезал мне путь к поступлению в аспирантуру!

♦

– Наша Роза стала архитектором.

– И шо же она строит?

– Та по Дерибасовской ходит и пытается строить из себя девочку.

♦

Истинный еврей зарабатывает тысячу баксов в месяц, из них две тысячи жене отдает, а на три оставшиеся сам живет.

♦

– Изя, и куда все бегут? И шо там дают?
– Та по морде!
– Шо? По целой???

♦

Маленькая Сара вернулась из школы и кричит:
– Папочка! Завтра в школе будет карнавал! Все должны прийти в национальных костюмах.
Абрам кричит недовольно жене на кухню:
– Роза, ты только послушай! Наша дочь таки хочет уже норковую шубу и соболью шапку!

♦

Первое место на международном конкурсе йогов занял товарищ Рабинович, уже 70 лет живущий затаив дыхание.
Одесса. Человек тонет в море и кричит:
– Help me, а-а-а, help me!
Одессит стоит на берегу и лузгает семечки. Другой подходит и спрашивает:

– И шо случилось?

– Таки вот, когда вся Одесса плавать училась, этот полиглот английский язык учил.

♦

– Мойша, вчера меня хотели изнасиловать.

– С чего это ты взяла?

– Таки, извиняюсь, уже изнасиловали.

– А шо же ты сказала «хотели»?

– Если не хотели бы – таки бы и не изнасиловали.

♦

Еврей – дворник.

♦

Для совершенствования административного устройства России предлагается объединить Мордовскую Республику и Еврейскую автономную область. Для референдума есть два варианта названия будущей области: или Жидо-Мордовская, или Морда Жидовская.

♦

Прекрасное имя – Изяслав. Где нужно, представляешься Славой, а где выгодно – Изей.

♦

Интересно, или мы так испортились, или изначально были сделаны по такому же образу и подобию?

♦

– Папа, а таки каким евреем мне лучше стать, американским, одесским или русским?
– Богатым!

♦

– Ой, таки, гости дорогие, кушайте, кушайте. Ну, я вас умоляю, а коли совсем совести нема, то и завтра приходьте.

♦

– Моня, разделяешь ли ты мое мнение?
– Да, дорогая, еще как разделяю, аж на две части. Часть первую отвергаю полностью, ну а со второй не согласен – категорически!

♦

Какие все-таки бывают замечательные еврейские фамилии. Например: Райхер – сочетает и стремление к идеалу и недостижимость оного.

♦

– Мама, а, можно, я котенка назову Изей?

– Ну что ты, доченька, нельзя называть кота человеческим именем. Давай-ка будем называть его просто Васькой.

♦

Помните, над Черным морем был сбит российский самолет, летевший из Израиля?

Израильтяне:

– Мы таки ни при чем. Чтобы мы своих граждан, нет!

Русские:

– Экипаж наш, самолет наш, но мы не виноваты!

Украинцы:

– Полный жидов москальский самолет? Не, не мы…

♦

Едет еврей на машине по Колорадо и вдруг слышит внутренний голос:

– Остановись, десять шагов на север и копай.

Копает, стук, нашел большую шкатулку золотых монет. Спрятал в машине, едет дальше. Проезжая по ущелью над бурной рекой, опять слышит внутренний голос:

– Брось шкатулку в реку.

Ну, думает: «Брошу одну – выплывет десять!» Бросил и не выплыло ничего! А внутренний голос заискивающе:

– Классно булькнуло, а?

♦

Какой-то жидкий у вас кофе…

– Ну вы эти свои штучки антисемитские бросьте!

♦

В Америке:

– Изя, скажи, как будет по-ихнему «за»?

– А в каком контексте?

– Я таки хочу с тем негром поговорить за его машину.

♦

Рабинович стоит возле светофора. Загорается зеленый свет, но Рабинович с места не трогается. Желтый, красный, опять зеленый – Рабинович стоит. Все повторяется.

Наконец кто-то из прохожих спрашивает:

– Рабинович, вы чего-то иного ждете?

– Вы знаете, что-то сегодня я им не доверяю!

♦

Одесса, рынок. Внушительных габаритов дама подходит к вешалке с кофточками:

– Догогуша, а на меня есть что-нибудь веселенькое?

– Увы, мадам, вас таки хочется обнять и тихо-тихо плакать...

♦

День всех влюбленных. В магазине:

– Девушка скажите, пожалуйста, сколько стоит вон та красная плюшевая задница.

– Мужчина, это сердце, а не задница!

– И она мне, кардиохирургу, будет говорить за сердце. Я таки беру эту красную плюшевую задницу.

♦

У Рабиновича не было детей. А у Каца, живущего этажом выше, каждый год приплод. И Рабинович обратился к Кацу за советом.

– Ну, хорошо, я таки дам вам совет, вам понадобятся только две вещи: кусок мыла и швабра – говорит сосед.

– А зачем?

– Берете кусок мыла и хорошенько моете свою жену в ванной.

– А швабра зачем?

– Потом берете швабру, стучите в потолок, и я приду.

♦

– Я тут анекдот вспомнил!..

– Слушаю!

– Не-е-т, ты смеяться будешь!..

♦

– Сема, ты женился! Поздгавляю! Ты счастлив таки?

– А куда деваться?..

♦

– Вы бы только видели, какое Рабинович в огороде поставил пугало! Вороны таки весь его прошлогодний урожай вернули!

♦

– Сема, у меня таки есть шикарный план: давай вместе где-нибудь в Париже откроем ювелирный магазин, а?

– Нет, давай так сделаем: ты открывать будешь, а я на шухере постою.

♦

Говорят, Индиана Джонс нашел 11-ю заповедь, данную Моисею:

– Иди, Мойша, иди и больше голову не морочь ни мне, ни таки людям!

И еще

Приходит фермер в общество защиты животных:

– На моих полях суслики отожрались, половину урожая съедают, разрешите, я их травану!

– Нет, сначала отвезите нашего эксперта, он ознакомится с ситуацией и выдаст рекомендации.

И вот идут они с экспертом по полям, вдруг эксперт шепчет:

– У тебя оружие есть? Смотри возле поля таки медведь стоит!

– Так я ж вам так и говорил: суслики отожрались, травануть надо!

◆

Молодой искусствовед Рабинович после стажировки в Голландии, осматривая в Лувре портрет Джоконды, сделал сенсационный вывод:

– Мягко бабу торкнуло.

◆

– Рабинович, вы где работаете?

– Нигде.

– А что вы делаете?

– Ничего.

– Отличное занятие!

– Да, но какая огромная конкуренция!

Приходит фермер в общество защиты животных:

– На моих полях суслики отожрались, половину урожая съедают, разрешите, я их травану!

– Нет, сначала отвезите нашего эксперта, он ознакомится с ситуацией и выдаст рекомендации.

И вот идут они с экспертом по полям, вдруг эксперт шепчет:

– У тебя оружие есть? Смотри возле поля таки медведь стоит!

– Так я ж вам так и говорил: суслики отожрались, травануть надо!

♦

Молодой искусствовед Рабинович после стажировки в Голландии, осматривая в Лувре портрет Джоконды, сделал сенсационный вывод:

– Мягко бабу торкнуло.

♦

– Рабинович, вы где работаете?

– Нигде.

– А что вы делаете?

– Ничего.

– Отличное занятие!

– Да, но какая огромная конкуренция!

♦

– Татя Сара, ваш маленький Изя ест газету!
– Пускай ест, она вчерашняя!

♦

– Изя, ты помнишь, что ты должен мне 100 баксов?
– Ой Моня, до конца своих дней помнить буду!

♦

– Мойша, когда тебя нету дома, соседи про тебя такое говорят!
– Ой, когда меня нету дома, так пусть они меня даже бьют!

♦

Загадка: Без окон, без дверей, а внутри сидит еврей. Что это?
(Сара беременна).

♦

Рабинович, у вас квартира в центре...
– Так разве это плохо?
– У вас «Мерседес»...

– Ну разве это плохо?
– У вашей жены собственная яхта ...
– Но что в этом плохого?
– Но у вас зарплата всего 30 тысяч!
– Ну а разве это хорошо?!

♦

Шмуль после обследования у профессора кладет на стол тридцать тысяч.

– У меня обследование стоит сто тысяч, – говорит профессор.

– Ах, извините пожалуйста, мне сказали – пятьдесят ...

♦

Еврей спрашивает у раввина:

– Ребе, что бы вы больше хотели иметь: пять тысяч рублей или пять дочерей?

– Пять дочерей, – отвечает раввин.

– Почему?

– Потому, что сейчас у меня их восемь.

♦

Один еврей говорит другому:

– Зяма, посмотри, что у меня в заднице такое твердое? Уж не бриллиант ли?

Зяма внимательно смотрит:

– Да, нст, у тсбя там только говно. Откуда там быть бриллианту?

– Ты знаешь, я тоже думаю, откуда в моей заднице быть бриллианту?

♦

– Рабинович, вы должны мне сорок долларов!

– Я знаю. Завтра, с самого утра...

– Завтра, завтра! Я уже знаю твое «завтра»! На прошлой неделе ты сказал, что не сможешь отдать, в прошлом месяце ты тоже сказал, что не сможешь отдать. В прошлом году ты тоже…

– И что? Я хоть раз не сдержал слово?!

♦

Рабинович пришел к раввину и спрашивает:

– Что такое жизнь?

– Зачем ты хочешь испортить ответом такой прекрасный вопрос?!

♦

Хаим с Натаном возвращаются домой поздно вечером. Вдалеке они замечают двух подозрительного вида субъектов.

– Знаешь что, – говорит Хаим, – давай перейдем на другую сторону, их таки двое, а мы одни.

♦

Лежат и постели старые еврей с еврейкой.

– Абрам ты мне изменял?

– Только один раз.

– Вот этот один раз нам сейчас очень бы пригодился!

♦

Как-то раз решили сходить пообедать вместе поп, мулла и раввин. Выпили, разговорились. Поп рассказывает, что однажды пришел к нему прихожанин и попросил, чтобы, когда он умрет, пусть положат ему в гроб 1000 долларов (пригодятся на том свете). Но церкви-то надо как-то жить, вот и забрал поп себе 100 долларов, а 900 долларов положил в гроб. Такой же случай случился и с муллой, но там мулла забрал 1200 долларов, а 800 долларов положил в гроб. А раввин говорит: – Вот вы какие несерьезные люди, вам человека не жалко, вот я, честный, взял и положил в гроб чек на всю сумму в 1000 долларов.

♦

– Сара Исааковна, вы слышали, вчера у мужа Фимочки вырезали гланды?

– Бедная девочка, она так хотела иметь детей.

♦

Поутру встречаются два друга:

– Сема, – говорит Яша, – сегодня у меня была ужасная ночь! Прямо-таки кошмар! Софи Лорен, Клаудиа Шиффер, Деми Мур, Памела Андерсон и моя жена Роза боролись за то, чтобы отдаться мне!

– И это ты называешь кошмаром?

– Да, потому что победила-таки моя Роза!

♦

Зильберштейн, страховой агент, уговаривает Гольдберга застраховаться:

– Господин Гольдберг, если, к примеру, вы сломаете руку, то получите двести рублей; сломаете ногу – триста; а если вам посчастливится сломать хребет – ну тогда вы богач!

♦

Абрам Саре:

– Ты знаешь, что со мной случилось?

– Что?

– Я проглотил монету. Хожу от доктора к доктору, но никто не может ее достать.

– Абрам, пойди в налоговую инспекцию. Там с тебя не только монету, но и всю душу вытрясут.

♦

Еврей спрашивает китайца:
Сколько вас всего на земле?
– Около миллиарда.
– Ого, больше чем нас. А чего это ваших не видно? Все наши, да наши.

♦

В еврейском местечке жандармы обыскивают дома в поисках призывников, уклоняющихся от службы в армии. Старик Рабинович нервничает и просит семью спрятать его в погребе.
– Тебе-то чего боятся, в твои-то годы? – успокаивает его жена.
– Да? А генералы в армии уже не нужны?

♦

Анкета :
Имеете ли вы судимость?
– Нет.
Были ли родственники за границей?
– Нет.
Были ли у вас психические заболевания?
– Нет.
Национальность?
– Да...

♦

– Сара, наша тетя Рахиль умерла, вот письмо из Америки.

– Ах, какое несчастье, какое несчастье!

– Погоди. Она завещала нам пять тысяч долларов...

– Ах, дай ей Боже здоровья!

♦

На фронте Рабинович пишет заявление: «Если я погибну в предстоящем бою, прошу считать меня коммунистом! Ну а нет – так нет...»

♦

– Ребе, вы считаете себя порядочным человеком?

– Конечно да.

– Неужели, если вы найдете миллион шекелей, вы, не колеблясь, вернете деньги владельцу?

– Если он принадлежал малоимущему человеку, обязательно верну!

♦

– Я слышал, Абрам, что тебя на днях ограбили в подворотне?

– Да, отобрали кошелек и часы.

– Но ведь ты говорил, что носишь с собой пистолет.

– Да, всегда ношу. Но грабители его не нашли.

♦

Изя, это правда, что Мойша дал тебе по морде и ты никак не реагировал?

– Я не реагировал? Хорошее дело, а кто упал?

♦

– Абрамович, вы не знаете, на Марсе жизнь есть?

– Думаю, что тоже нет...

♦

По улице ковыляет с палочкой старый Мойша. Его спрашивают:

– Как вы себя чувствуете?

– Не дождетесь!

♦

Еврей в ОВИРе.

– Какие причины побуждают вас к выезду?

– Две. Первая – мой сосед по коммуналке говорит, что когда кончится советская власть, он прикончит меня и всю мою семью.

– Но советская власть никогда не кончится!

– А вот это вторая причина!

♦

Объявление на вокзале:

– Пассажиры, отправляющиеся в Израиль! Поезд «Москва – Воркута» подан на шестую платформу.

♦

На скамеечке сидят девицы в мини-юбках, мимо проходит старый еврей:

– Девочки, в наше время это было принято мыть, а не проветривать!

♦

Достался в наследство мужчине от жутко богатой умершей тетки большой алмаз. Ну что с ним делать? Решил пойти к ювелиру. Тот внимательно осмотрел алмаз и воскликнул:

– Это – уникальный камень! Он стоит бешеных денег! Я не возьмусь его обрабатывать! А вдруг что-то не так сделаю, вдруг ошибусь! Нет, не возьмусь я его делать, и не уговаривайте!

Пошел мужчина к другому мастеру. Тот тоже отказался, сославшись на те же причины.

Пошел к третьему. Им оказался старый еврей Циперович. Он осмотрел алмаз и крикнул мальчику, сидевшему в углу и обрабатывающему какое-то колечко:

– Моня, мальчик мой, сделай-ка вот этот камушек!

Мужчина (с тревогой в голосе):

– Послушайте, как вы можете доверять вашему юному подручному?! Разве вы не знаете, что это за алмаз?! Его отказались обрабатывать опытные ювелиры!

Циперович (спокойно):

– Ша, ша, любезный! Вы знаете, что у вас за алмаз и сколько он стоит. Я знаю, что у вас за алмаз и сколько он стоит. А Моня не знает, он таки сделает!

♦

В Тель-Авиве открылся новый супердорогой ресторан «Ностальгия». Чтобы попасть туда, надо отстоять огромную очередь, потом тебя пересаживают с места на место, обсчитывают, хамят, кормят несвежей, плохо приготовленной пищей, а напоследок презрительно бросают в спину:

– Не нравится – убирайся в свой Израиль, жидовская морда!

♦

Американец прилетает в Иерусалим, хочет посмотреть Стену Плача, но, не зная, как она точно называется, говорит таксисту:

– Подвези меня к тому месту, где вы, евреи, плачете, кричите и бьетесь головой о стенку.

Шофер подвез его к зданию налоговой полиции.

♦

Старый еврей с сыном смотрят футбольный матч по телевизору.

– Автор гола – Гершкович! – объявляет комментатор.

– И ты думаешь, они этот гол засчитают? – скептически говорит отец.

♦

– Абрам Исаакович, у вас деньги есть?

– Ну что за вопгос? Конечно же нет!

– А дома ?

– Ой, спасибочки! Дома все хогошо!

♦

Один еврей другому:

– При коммунизме у меня будет свой самолет!

– Зачем тебе самолет?

– А вдруг, скажем, в Калуге муку дают. Полчаса лету – и я там!

♦

Еврея спрашивают, почему он не хочет вступать в партию.

– Обязанности у меня будут, как у коммуниста, а права – как у еврея!

♦

Еврейка Хая высовывается из окна и кричит:

– Беник, что ты делаешь?

– Катаюсь на гамаке, мамочка.

– Что ты, слезь сейчас же! Это же тети Сары лифчик!

♦

Встречаются два еврея.

– Откуда у тебя эта шапка?

– Отец вчера перед смертью по дешевке продал.

♦

В одном купе едут священник и раввин. Раввину ночью выходить на маленькой станции, где поезд стоит буквально полминуты.

Проводник забыл вовремя его разбудить и сделал это, когда поезд уже почти прибыл на станцию. Раввин спросонья в спешке натягивает на себя рясу и прочую одежду священника, хватает чемодан и выскакивает из вагона. Войдя в помещение вокзала, он видит себя в зеркале и восклицает:

– Идиет, кого он разбудил!

♦

Разговаривают два музыканта:

– Нет, ну я не понимаю, как такую классную музыку – джаз – могли придумать какие-то негры?

– Сема, успокойтесь, они таки были негры только по паспорту!

♦

Хаим прошел полное медицинское обследование и пришел к врачу узнать о результатах.

– Для вашего возраста результаты неплохие.

– Доктор, а до восьмидесяти я доживу, как вы думаете?

– Вы пьете? Курите?

– Нет, я никогда не пил и не курил.

– Вы едите острое и жирное мясо?

– Нет, доктор, я такого не ем.

– Может быть, вы проводите много времени под прямыми лучами солнца. В гольф, например, играете?

– Нет, я никогда не играл в гольф.

– Тогда, может быть, вы увлекаетесь картами, гонками или распутными женщинами?

– Что вы, доктор!

– Ну и зачем же вам жить до восьмидесяти?

♦

– Проклятая жизнь! – говорит Рабинович.

Его тут же забирают.

– Я говорю – проклятая жизнь в Америке! – Вырывается Рабинович.

– Пройдемте, пройдемте, знаем, где проклятая жизнь!

♦

Едут в поезде Рабинович и китаец. Рабинович спрашивает:

– Простите, вы еврей?

– Нет, я китаец.

– Нет, все ж таки вы еврей, чего вы стесняетесь?

– Да нет, уверяю вас, я китаец!

И так два часа. Наконец китайцу надоедает этот разговор, и он говорит:

– Отвяжитесь! Да, я еврей!

– Ну вот, я же говорил. А скажите, вам никогда не говорили, что вы ужасно похожи на китайца?

♦

Еврейская мама дарит сыну два галстука. Через два дня он надевает один из этих галстуков и идет к ней в гости. Мама открывает дверь, смотрит на него и говорит:

– Мойша, а другой галстук тебе что, не понравился?

♦

– Что такое – смешанное чувство еврейской мамы?

– Ее сын «голубой», но таки встречается с врачом.

♦

– В чем разница между еврейской матерью и ротвейлером?

– Ротвейлер, в конце концов, отпускает.

♦

Экскурсия по аду. Видят, в двух котлах варятся грешники. Около одного котла – ватага чертей с вилами, а около другого – никого.

– Почему вы все у одного котла?

– Да тут евреи варятся. Стоит на секунду отойти, как они все собираются, подсаживают друг друга, один вылезет – других вытаскивает. Если их не сторожить – все разбегутся!

– А почему тогда второй котел не охраняете?

– Там варятся русские. Отличные ребята! Если один пробует удрать, другие его назад тащат:

– Ты че, лучше других быть хочешь?!

♦

Выперли Рабиновича из партии. Ночью снится ему сон: Израиль объявил войну СССР и разнес его начисто. И вот Моше Даян на белом коне въезжает в покоренную Москву и едет по Красной площади. А из Спасских Ворот навстречу ему на коленях выползает Брежнев и все Политбюро с ключом от города. Подъезжает Даян к Брежневу, наклоняется и говорит:

– Да на фига мне ваши ключи! Ну-ка быстро восстановите Рабиновича в партии!

♦

Два еврея попали на необитаемый остров. Когда через пару лет их нашли, то на острове обнаружилось три синагоги:

– А зачем три?

– Как зачем?! В одну не хожу я, в другую – он, а в третью мы оба не ходим!

♦

– Какой вклад евреи внесли в научно-технический прогресс?

– Начать хотя бы с того, что, еврейские пейсы вдохновили изобретателя штопора...

♦

– Почему у еврейского мальчика бутерброд всегда падает маслом вниз?

– Потому что он намазан маслом с двух сторон.

♦

Два еврея едят рыбу. Один кладет себе больший кусок, а приятелю поменьше. Тот говорит:

– Как тебе не стыдно! На твоем месте я положил бы тебе кусок побольше, а себе поменьше!

– Попробуй пойми тебя после этого! Вот же он, твой меньший кусок!

♦

Двойра возвращается с базара:

– Ну, Хаим, мне там такого наговорили, такого наговорили! Последними словами обзывали!

– Сколько раз тебе говорить: не ходи туда, где все тебя знают, золотко мое!

♦

Сара с Абрамом собираются в гости.

Сара:

– Если бы ты только знал, дорогой, как мне не хочется идти к Абрамовичам!

– Что ты! – отозвался Абрам. – Ты только представь себе, как они обрадуются, если мы не придем.

– Да, ты прав. Надо идти.

♦

На случай прихода гостей у Абрамовича всегда была припрятана бутылочка хорошего вина. Собравшись вместе, гости все время пытались отыскать бутылку, но им это никогда не удавалось.

♦

На пикнике, Сара Абраму:

– Да нет, милый, трава вовсе не сырая и не холодная. Просто ты сел на заливную рыбу...

♦

Приехал еврей на ярмарку, проголодался, купил калач, съел – мало. Купил второй – еще хочется. Купил и третий – все равно голодный.

Тогда он на последние деньги купил бублик, съел его и почувствовал, что наконец наелся. Сидит и думает: «Три калача съел – все голодным оставался, а одним бубликом наелся. Надо было с бублика и начинать».

♦

Встретились два еврея:
– Что ты такой грустный?
– Да вот топиться иду.
– С ума сошел! В новом костюме?!

♦

– Не понимаю, почему люди восхищаются этим Карузо? Голоса нет, фальшивит, картавит, шепелявит!
– Вы слышали, как он поет?
– Нет, но кое-что из его репертуара мне напел Цеперович.

♦

Абрам зашел как-то в дом скупых людей. Он был очень голоден, но хозяева ему ничего не предложили. Тогда он дал золотую монету сыну хозяина и сказал:
– Возьми, поиграй...

Хозяин подумал, что гость очень богатый, и приказал жене подать жареную курицу. Абрам все съел, запил кофе, встал, забрал у мальчика монету со словами:

– Поигрался, малыш, и будет!

И пошел своей дорогой, смеясь над скупыми хозяевами.

♦

– Рабинович, говорят, вы большой интриган!

– Да? А кто это ценит?

♦

Гольдберг рассказывает:

– Сказано в Писании: «Золото принадлежит мне, и мне принадлежит серебро». Вот я и попросил Бога:

– Если все золото и серебро твои, что для тебя, Господи, какие-то 10 тысяч? Одолжи их мне на один только день.

– Почему только на один? – спрашивают его.

– Потому что один день для Бога – все равно, что тысяча лет!

Ибо в Писании сказано: «А тысяча лет для Тебя – день вчерашний».

– И что же Господь ответил на это?

– Велел подождать до завтра.

♦

К киевскому миллионеру Бродскому является незнакомый молодой еврей.

– Господин Бродский, мы можем провернуть необычайно выгодное дело: заработаем сразу по 300 тысяч.

– Интересно. И что же это за дело?

– Вы, я знаю, даете за своей дочерью 600 тысяч приданого.

– Ну?

– Так вот: я беру ее за полцены.

♦

Мойша пришел проведать больного товарища. Сара налила ему рюмку вина и приглашает:

– Выпейте за здоровье моего мужа.

Мойша выпил. Посмотрел на больного и говорит:

– Ох, Абрам, плохо ты выглядишь! Не мешало бы еще стаканчик выпить за твое здоровье.

♦

Изя звонит Мойше на работу:

– Привет, старый козел!

– А вы знаете, с кем говорите? – отвечает незнакомый голос.

– С кем?

– С генеральным директором фирмы, где работает ваш Мойша.

– А вы знаете, с кем говорите?

– Нет.

– Ну и слава богу! – говорит Изя и кладет трубку.

♦

– Господин Гольдберг, говорят, вчера Кац подстерег вас в лесу и дал вам пощечину.

– Э-э, тоже мне лес – всего-то пара деревьев!

♦

Сара подал в суд на Абрама за оскорбление. Судья говорит Абраму:

– Вы назвали свою собаку Сара и постоянно кричали ей: «Фу, Сара, фу, стерва». Этим вы явно хотели оскорбить соседку.

– Ни боже-ж мой, – запротестовал Абрам. – Я хотел оскорбить собаку.

Мойша побывал в гостях у Абрама.

– Чем он тебя угощал? – спросила жена.

– Вином.

– Хорошим?

– Как тебе сказать... Если бы оно было немножко хуже, его вообще нельзя было бы пить. А если бы оно было немного лучше, он выпил бы его сам.

♦

Встречаются бердичевский еврей и варшавский. Варшавский:

– Сколько евреев живет в Бердичеве?

– Тысяч пять.

– А христиан?

– Сотни две.

– И что они делают?

– Известно что: дрова рубят, воду носят, за лошадьми присматривают... А в Варшаве сколько евреев?

– Да тысяч двести.

– А христиан?

– Раза в два больше.

– На что же вам столько дровосеков и водоносов?

♦

– Здесь проживают супруги Бергельфельд?

– Нет. Но на первом этаже проживает господин Берг, а на четвертом – госпожа Фельд.

♦

Старый Абрамович умирает. Говорит жене:

– Кованый сундук отдашь сыну.

– Лучше дочери.

– А я говорю – сыну!

– А я говорю – дочери!

– Кто из нас умирает, ты или я?!

♦

– Абрам, что делать? Посоветуй! Ко мне так часто ездят гости... Сил нет!

– Это раз плюнуть: бедным одолжите по десятке, а у богатых просите одолжить по сотне... Поверьте, что и те и другие будут обходить вас десятой дорогой.

♦

Кац женился на старшей из трех сестер и увез ее в Жмеринку. Через год жена умерла. Вдовец приехал навестить родню покойной жены и женился на второй сестре. Вскоре умерла и она. Кац женился на третьей сестре. Через год родители получают телеграмму:

«Вы, конечно, будете очень смеяться, но Розочка тоже умерла».

♦

– Сара, ты бы хоть спросила сначала, как я живу!

– Как ты живешь?

– Ой, и не спрашивай!

♦

Пришел Мойша к Рабиновичу денег одолжить.

– Это хорошо, Мойша, что ты ко мне пришел, а не к Абрамовичу. Правильно сделал!

Потому что Абрамович ни за что не даст. Скряга он! А я дал бы. Ей-богу, дал бы! Жаль только, что денег у меня нет.

♦

– Изя, ты читаешь вечернюю молитву?

– Читаю.

– Ну и как?

– Ты знаешь, пока никаких результатов.

♦

Абрамович побывал вместе с приятелем у врача. После осмотра приятель поинтересовался:

– Почему ты жаловался еще на сердце и боли в животе? Ведь у тебя болит только голова. Сам же рассказывал!

– На сердце жалуется каждый день моя жена, а дочь – на желудок.

– Ну и что же?

– Я не настолько богат, чтобы платить деньги еще и за осмотр жены и дочери.

♦

– Рабинович! Ну почему какие-то несчастные штаны вы мне шили месяц?! Бог мир в шесть дней создал, а тут – брюки – и месяц!..

– Ха, молодой человек... Вы посмотрите на этот мир – и вы посмотрите на эти бруки!..

♦

– Мойша, вы случайно не шахтер?

– Нет, я не случайно, я принципиально не шахтер!

♦

На Руси в древности не знали о существовании евреев, а потому все происходившие с ними беды относили на счет темных сил природы...

♦

– Алло, господин Рабинович?

– Да, а шо такое?

– Это вас из банка беспокоят, у вас на счету -500 долларов!

– Да? Шо вы говорите? А неделю назад посмотрите сколько было?

– +500.

– А две недели назад?
– +1000.
– А три недели?
– +1500.
– И что, я вам хоть раз позвонил?

♦

Надпись на могильной плите:
«Сарочка, не ходи так часто! Дай мне хоть здесь отдохнуть!»

♦

Сара недовольным голосом:
– Почему ты не попросишь Абрама вернуть долг? Уже полгода прошло!
– Во-первых, Абрам месяц назад помер….
– А во-вторых?..

♦

Приходит девушка к раввину.
– Ребе, двое мужчин одновременно просят моей руки. Но вот проблема, один из них – вор, а другой – насильник. Кого посоветуете выбрать?
Раввин говорит, что для правильного ответа он должен посоветоваться с Богом, уединиться, помолиться и т.д. Подожди, дескать. И уходит в другую комнату.

С кухни заходит жена раввина и шепотом говорит:

– Я не знаю, что вам насоветует мой ученый муж, но что до меня, так пусть меня лучше два раза изнасилуют, чем один раз обворуют.

♦

Телефонный звонок в квартире Рабиновича:

– Извините, пожалуйста, вас беспокоит Софа.

– Извините, пожалуйста, Софа меня не беспокоит.

♦

Сара просит у продавца нетоптаную курочку. Тот долго роется и достает тощую и синюю-синюю.

– А вы уверены, что она нетоптаная?

– Мадам, кто же на такую синюю полезет?

♦

– Что вы так печальны, сосед?

– Нашу семью практически постигла авиакатастрофа.

– Что вы говорите?! Когда? Как?

– Вчера вечером, в аэропорту приземлился самолет из Мариуполя, на котором прилетели к нам родственники моей жены в двухнедельный отпуск.

♦

Почему если на футболке написано «Париж» или «Нью-Йорк», то все думают – турист. А если написано «Иерусалим», все думают – еврей.

♦

Еврей пишет из Италии знакомому:

– Посетил музей и попросил сфотографировать себя рядом с Аполлоном. Тот, который голый, но необрезанный – это Аполлон.

♦

Гольдберг, известный карточный шулер, предстает перед Богом.

– Чего ты хочешь? – спрашивает Господь.

– Хочу в рай.

– Исключено. Шулерам нет места в раю.

– Отныне обещаю играть честно. Может, перекинемся в покер?

– На что?

– Если выиграю, попаду в рай, проиграю – в ад.

– Ладно, – соглашается Бог. – Я раздаю карты, смотри – играй честно!

– Тогда и вы без чудес, пожалуйста!

♦

Мойша решил провести лето на Рижском взморье. Приехал в субботу. В воскресенье полил дождь. В четверг, видя, что дождь не прекращается, Мойша упаковал чемоданы.

Хозяин отеля спрашивает:

– Как, вы уже нас покидаете?

– Да, из-за этого дождя.

– Но ведь у вас в Двинске тоже льет дождь!

– Верно, только у нас он льет гораздо дешевле.

♦

Абрам славился тем, что был скуповат. Пришли к нему гости. Сели за стол, хозяйка приглашает гостей:

– Ешьте, пейте, пожалуйста, гости дорогие! Вот наливочка, вот рыбка, колбаска, пирожки свеженькие. Ешьте, ешьте!..

А Абрам как подскочит:

– Ну что ты все просишь – «ешьте, ешьте», что они, сами не видят? Слепые, что ли?!

♦

Еврей опаздывает на встречу, где решается его дальнейшая судьба.

Приезжает на Тверскую, осталось пять минут. Припарковаться негде.

Он весь в истерике. Обращается к Господу:

– Господи! Помоги мне припарковаться. Я буду каждый день ходить в синагогу. Буду каждый день читать молитвы. Буду всегда честным. Буду всегда помогать бедным.

Тут одна машина отъезжает и освобождается одно место.

Еврей на всех парах паркуется. И обращается к Господу:

– Не беспокойся, Господи. Все само наладилось.

♦

– Ребе, у сына понос, что делать?

– Читайте псалмы.

Через неделю:

– Ребе, у сына запор, что делать?

– Читайте псалмы.

– Но ведь псалмы от поноса!

♦

– Рабинович, вы слышали о докладе Альберта Эйнштейна на физическом конгрессе?

– И что он там им доложил?

– Как что? Теорию относительности!

– И что это такое?

– Объясняю популярно. Вот если жена вам подает бульон, а в нем плавают три волоса,

Это много волос или мало?

– Конечно, много! Ну и что?

– А если на голове всего три волоса. Это много волос или мало?

– Ясно. Ну и что?

– Так это и есть теория относительности!

– И вы хотите сказать, что этой хохмой Альберт морочил голову всему физическому конгрессу?

♦

– Вы не скажете, когда мне нужно сойти, чтобы попасть на Дерибасовскую улицу?

– Следите за мной и выходите на остановку раньше.

♦

– Сара, кто это вам так подбил глаз?

– Мой Абрам, кто же еще?

– А мы думали, что он в командировке.

– Я тоже так думала.

♦

– Скажите, вы случайно не сын старика Рабиновича?

– Да, сын, но что «случайно», я слышу впервые.

♦

На работе умирает Рабинович.

Другого еврея посылают подготовить его жену.

Тот приходит по адресу, звонит в квартиру:

– Простите, здесь живет вдова Рабинович?

– Простите, я не вдова.

– Ну… здесь я могу с вами немножечко поспорить…

♦

Секретарь на заседании партбюро:

– Товарищ Рабинович, похоже, у вас есть другое мнение по этому вопросу?

– У меня есть другое мнение, но я с ним не согласен!

♦

Приходит Рабинович к ребе:

– Ребе, у меня куры дохнут, что делать?

– Попробуй начертить круг, построй но кругу ограду и загони туда кур.

Приходит снова:

– Ребе, я сделал, как вы учили. Но куры дохнут!

– Тогда попробуй разделить этот круг пополам. Белых кур посади в одну половину, а пестрых в другую.

Приходит опять:

– Ребе, я так и сделал, но все куры сдохли...

– Какая жалость, у меня было еще столько идей...

♦

– Моня, какой все-таки грех, что у нашей Софочки ребенок родился до свадьбы...

– Так что здесь такого? Откуда он мог знать, когда свадьба?

♦

У входа в синагогу табличка:

«Войти сюда с непокрытой головой – такой же грех, как прелюбодеяние».

Кто-то дописал: «Я проверил – разница колоссальная!»

♦

Встречаются страховой агент Рабинович и портной Хаймович.

– Хаймович, это правда, что ты крестился?

– Да.

– Но как ты мог предать веру наших отцов?

– Я встретился с батюшкой, он обладает таким даром убеждения! Поговори с ним, он и тебя убедит.

Рабинович заходит в церковь. Час его нет, два, три… Наконец, выходит.

Хаймович:

– Ну?.. Убедил?

Рабинович:

– Да! Но ты бы знал, чего мне таки стоило – убедить его застраховаться от конца света…

♦

Встречаются Рабинович и Кацман.

– Ты знаешь, кто был Исаак Левитан? – спрашивает Рабинович.

– Нет, – отвечает Кацман.

– А кто был Авраам Линкольн?

– Тоже не знаю.

– А я знаю, – гордо заявляет Рабинович. – Потому что я каждый вечер хожу то на лекцию, то в музей.

– Молодец... А вот ты знаешь, кто такой Мойша Хаймович?

– Нет. А кто он?

– А это тот, кто ходит к твоей жене, пока ты шляешься то на лекцию, то в музей.

♦

– Алло, это Одесса?

– А вы как думаете?

– Алло, это Рабинович?

– А что?

– Вы знаете, что в Нью-Йорке умер ваш дядя?

– И все мне?

– Вы знаете, сколько за ним долгов?

– Послушайте, куда вы звоните?

♦

Разговор в одесском трамвае:

– Скажите, вы на следующей выходите?

– Да.

– А впереди вас?

– Да.

– А вы их спрашивали?

– Да!

– И что они вам ответили?

♦

– Сема, посмотрите на эти мозолистые руки! Этот человек совсем не хочет работать головой...

♦

Старый еврей дарит внуку ботинки:

– Возьми, Сема, и носи аккуратно!

Через месяц Сема прибегает к деду:

– Деда, твои ботинки порвались!

– Как порвались?! Такую обувь испоганил! Мой отец эти ботинки десять лет носил, я – восемь лет носил, отец твой – шесть лет носил, а ты за один месяц испортил!

♦

Рабинович нашел пачку денег. Его встречает Мойша:

– Ты шо такой грустный?

– Да вот, нашел пачку денег… По-моему, там не хватает…

♦

В Бердичеве портной решил открыть лавку. А на этой улице уже три портняжных лавки. На первой надпись: «Лучший портной в Бердичеве». На второй: «Лучший портной в Европе». На третьей: «Лучший портной в мире»….

На новой лавке появилась вывеска: «Лучший портной на этой улице».

♦

Умирает старый Исаак. У постели умирающего собралась родня.

– Сара здесь? – спрашивает он.

– Здесь.

– Хаим здесь?

– Здесь.
– Двойра здесь?
– Здесь.
– Мойша здесь?
– Здесь.
– А кто же в лавке остался?!

♦

Старая Одесса.

– Боже мой, кого я вижу! Соломон Моисеевич!

– Меня зовут Соломон Маркович.

– Вы мне будете рассказывать, как вас зовут?! Я вашего папу с детства знал! Он был таким красивым, кудрявым!

– Ничего подобного. Мой папа был маленьким и лысым.

– Ай, идите к черту, вы не знаете своего папу!

♦

Владелец магазина Коган посылает телеграмму фабриканту Зильберману:

«Ваше предложение принимаю. С уважением, Коган».

Телеграфистка советует:

– «С уважением» можно вычеркнуть.

– Откуда вы так хорошо знаете Зильбермана? – удивился Коган.

♦

– Изя, дважды два – сколько?
– Восемь!
– Сколько?
– Шесть!
– Подумайте.
– Четыре!
– Отчего же вы сразу не сказали?
– Папаша велел говорить больше, чтобы было чего уступать.

♦

– Что это была за станция?
– Одесса.
– А почему мы так долго стояли?
– Тепловоз меняли.
– Меняли? А на что?
– Как «на что»? На тепловоз!
– И что, поменяли?
– Да!
– Так на так?! А вы уверены, что это была Одесса?!

♦

Отец проверяет дневник сына:
– Так, физика – 2... Циля, ты слышишь? Физика – 2!

Так, математика – 2... Циля, слышишь? Математика – 2!

Так, пение – 5... Циля, ты слышишь? Он еще и поет!

♦

Еврей приезжает в незнакомое местечко и хочет узнать, где бордель. Прямо спросить он не решается, поэтому останавливает прохожего и говорит:

– Скажите, где тут у вас живет раввин?

– На Липовой, дом 19.

– Как?! Раввин живет напротив борделя?!

– Что вы! Бордель на Печорской, в самом конце улицы!

– Ну, слава богу! – говорит еврей и идет по указанному адресу.

♦

– У меня есть для вас невеста. Из хорошей семьи...

– А как она выглядит?

– Красавица! Просто красавица!

– Богата?

– За ней дают огромное приданое.

– Так что у нее, получается, вообще нет недостатков?

– Ну… есть один… маленький: она немножко беременна.

♦

Сваха расписывает матери невесты достоинства будущего жениха. И под конец говорит:

– Ну есть у него один маленький недостаток: заикается.

– Что, всегда?!

– Упаси боже! Только когда говорит.

♦

Звонок в ОБХСС:

– Это Рабинович. Скажите, который час?

– Ноль часов ноль минут.

– Алле, это ОБХСС? Это Рабинович. Который час?

– Ноль часов три минуты…

– Алле, это ОБХСС?

– Послушайте, Рабинович, заберите обратно свой конфискованный будильник и не морочьте нам голову.

♦

Спустился Бог на Землю и видит: все торгуют, пьют, кругом разврат. Вернулся на небеса, созвал ангелов и говорит:

– Соберите всех церковных иерархов. Даю им ровно месяц. Если люди не исправятся, будет новый Всемирный потоп!

Ангелы созвали представителей всех религий и передали им слова Бога. Тогда патриарх собрал своих верующих и сказал:

– Христиане, среди нас бытуют разврат, пьянство, обман. Мы должны каждый день молиться в течение месяца, иначе Бог нас накажет и устроит Всемирный потоп.

Имам собрал своих последователей и объявил:

– Правоверные, среди нас бытуют разврат, пьянство, обман. Мы должны каждый день молиться в течение месяца, иначе Аллах нас накажет и устроит Всемирный потоп.

А главный раввин созвал евреев и сказал им:

– Евреи! У нас с вами ровно месяц, чтобы научиться жить под водой.

♦

– Ребе, если я завещаю все свои деньги синагоге и умру, я обязательно попаду в рай?

– Знаешь, Изя, гарантии я дать не могу, но попробовать, по-моему, стоит!

♦

Евреи спрашивают раввина, дескать, где сказано, что надо всегда ходить с покрытой головой.

– В девятнадцатой главе книги «Исход», в четырнадцатом стихе сказано: «И сошел Моисей к народу…»

– Там же не говорится о головном уборе!

– Неужели вы могли подумать, что Моисей вышел к народу без кипы?!

♦

Одесский сервис:

– Рабинович, я у вас компьютер купил. Так он сдох. А вы давали гарантию. Вот тут вы написали – «Пожизненная». Вот подпись и печать.

– Ну раз сдох – гарантия кончилась…

♦

Молодой еврей спрашивает раввина:

– Ребе, я хочу жениться на младшей дочери Шнеерсона.

– Так женись.

– Но ее родители против.

– Так не женись.

– Но я ее очень люблю.

– Так женись.

– Но и мои родители против.

– Так не женись.

– Но я не могу без нее жить.

– Так женись.

– Но на что мы будем жить?

– Так не женись. А еще лучше знаешь что? Крестись!

– Ребе, почему же я должен креститься?

– Будешь морочить голову попу, а не мне.

♦

Раввин постоянно учил своих прихожан искать вопросы на ответы внутри самих себя. Но многие все же предпочитали обращаться за ответом к нему. В конце концов, раввин установил в синагоге будку с надписью: «Ответ на любые два вопроса всего за 100 долларов».

На другой день к нему обратился один из прихожан, у которого были два вопроса к ребе. Уплачивая деньги, он сказал:

– А вы не считаете, что 100 долларов это слишком дорого за два ответа?

– Да, вы правы, – ответил ребе. – А какой у вас второй вопрос?..

♦

Где-то в Одессе. Аптека.

– ... М-м-м, Абрам Моисеевич! У вас случайно нет перманганата калия?

– Нет, Израиль Маркович! Но есть очень свежий цианистый калий.

– Но это же существенная разница!

– Ой, не смешите меня! Всего-то 20 копеек!

♦

Телеграмма Рабиновичу:
«Волнуйтесь. Подробности письмом. Цукерман».
Телеграмма Цукерману:
«Что случилось? Волнуемся. Рабинович».
Телеграмма Рабиновичу:
«Волнуйтесь. Кажется, умер Моня. Цукерман».
Телеграмма Цукерману:
«Так кажется или да? Волнуемся. Рабинович».
Телеграмма Рабиновичу:
«Пока да. Цукерман».

♦

Когда Бог раздавал всем народам землю, к нему пришла делегация.

– Господи, ну почему опять евреям все самое лучшее? Посмотри, какую страну ты им отдал: три моря, горы, равнины. Есть озеро, три урожая в год. Это не страна, а рай!

– Да, но какие у них соседи?!

♦

Абрам встречает своего старого знакомого Мойшу и говорит:

– Мойша, хочешь купить у меня за полцены крупную партию брюк? Последний писк моды! Услышав «за полцены» и «последний писк моды», Мойша, не раздумывая, покупает партию, но дома замечает, что у всех брюк одна штанина намного короче другой. Сгорая от возмущения, он прибегает к Абраму и орет:

– Ты что мне продал? Их же невозможно носить!

– Мойша, ты не забывай, что я тебе их продал всего за полцены!

Через несколько дней Мойша встречает Изю и точно так же сбагривает ему всю партию. Затем Изя продает ее Срулю, Сруль – Соломону, Соломон – Хаиму... В течение двух лет эти брюки переходили от одного еврея к другому, пока один из них не решил при покупке проверить товар:

– Шмулик, что это за брюки?! Я же их не продам?!

– Как это не продашь? Да за два года на них разбогател весь квартал!

♦

Урок математики в школе. Учитель дает задачу:

– Сколько семья должна заплатить в сумме, если мяснику они должны 4550 рублей, пекарю – 3500 рублей, в магазине – 10240 рубля, портному – 2100 рублей?

Изя, ответь, пожалуйста.

– Ну, я не знаю, может быть, им просто переехать в другой район?

♦

– Рабинович! Вы, наверное, получили наследство и теперь шикуете!

– И почему ви так думаете?

– Таки на столе у вас икра!

– Да, но она – баклажанная…

– Да, но целая сковородка!

♦

Радио Тель-Авива: – Вчера из зоопарка сбежал енот. Просьба всем видевшим енота заплатить 10 шекелей в кассу зоопарка.

♦

– Господин Рабинович, здравствуйте. Тысяча лет и зим, где вы пропали? Как же вы изменились. Раньше вы были толстым, низеньким, почти без волос, а теперь стали высоким, худым и волосы кучерявые.

– Я не Рабинович!

– Так вы и фамилию переменили?

♦

Приходит раввин к священнику и говорит:

– Вот такое дело – у меня велосипед сперли. Причем сделал это кто-то из моей общины!

Вот ты тоже направляешь своих прихожан на путь истинный. Вот дай совет – как найти вора среди своих?

– Это просто, – отвечает священник, – надо всех собрать и зачесть перед ними 10 заповедей. Вот когда дойдешь до «не укради», внимательно смотри людям в глаза, и кто глаза потупит, тот и вор.

Через день приходит снова раввин к нему, радостный такой.

– Ну что, мой совет помог? – интересуется священник.

– Ну не совсем, в общем, но идея сработала.

– Не, ну так как все получилось?

– Ну, вот созвал общину, начал зачитывать заповеди, а когда дошел до «не прелюбодействуй», то вспомнил, где забыл велосипед...

♦

– Скажите, а где тут поезд на Одессу?

– Уже ушел.

– Вот здрасте! А куда?

♦

– Алле, здгавствуйте, это база?

– Здравствуйте, база.

– А как ваша фамилия?

– Иванов.

– То шо, военная база?

♦

Обычный двор в Одессе. Дети спокойно играют во дворе. Из окна высовывается довольно-таки полная мама-еврейка и кричит на весь двор:

– Мойша, Мойша, иди домой супчик кушать! Иди скорее, а то остынет!

Через минуту приходит злой пятилетний Мойша и с порога кричит:

– Мама, мама, что вы говорите, какой супчик? Шо во дворе подумают, шо мы босяки? В следующий раз вместо супа кричите – черная икра.

На следующий день та же мама кричит:

– Мойша, Мойша, иди черную икру есть! Иди быстрее, а то остынет!

♦

– Рабинович, где вы работаете?

– На железной дороге.

– И много там наших?

– Двое осталось: я и шлагбаум.

♦

СССР. Зима. Лютый мороз. Перед магазином очередь за молоком. Выходит директор магазина:

– Всем молока не хватит, евреи пусть уходят!

Вскоре он снова появляется:

– Все равно молока не хватит, пусть уйдут беспартийные!

Потом он выходит к оставшимся коммунистам:

– Товарищи, только вам, как наиболее сознательным, я могу сказать всю правду: молока сегодня не привезут!

Среди коммунистов ропот.

– Вот жиды! – со злобой говорит один. – Уже больше часа, как они греются дома!

♦

– Хаим, оказывается, у тебя брат в Израиле, – говорит жена.

– Почему ты раньше не говорил мне, что у тебя есть родственники за границей?

– Ха! Разве он за границей? Это я за границей!

♦

В коммунальной квартире звонит телефон.

– Позовите, пожалуйста, Мойше.

– Здесь таких нет!

Снова звонок:

– Позовите, пожалуйста, Мишу.

– Мойше! Тебя к телефону!

♦

Плакат в ОВИРе: «Лучше иметь дальних родственников на Ближнем Востоке, чем близких – на Дальнем».

♦

Рабиновича не берут на работу, несмотря на то, что по паспорту он русский.

– С такой фамилией я лучше еврея возьму! – говорит начальник.

♦

Рабинович проходит мимо КГБ. На дверях табличка: «Посторонним вход воспрещен».

– Ха! Как будто, если бы там было написано «Добро пожаловать!», я бы туда вошел!

♦

Старый еврей с большими сумками идет по вокзалу в Германии. Останавливается перед сидящим немцем и спрашивает:

– Извините, как вы относитесь к евреям?

– О, я очень уважаю еврейскую культуру и люблю еврейский народ!

Старый еврей идет дальше, спрашивает другого немца:

– Скажите, а вы любите евреев?

– Разумеется! Я поражаюсь их уму и талантливости!

Старый еврей идет дальше, спрашивает третьего немца:

– А вам нравятся евреи?

– Что? Да я их просто ненавижу!!!

– Я вижу, вы честный человек! Последите, пожалуйста, за моим багажом, а я в туалет схожу.

♦

Два еврея проходят мимо Лубянки. Один тяжело вздыхает.

– Ха! – откликается второй, – он мне рассказывает!

♦

– Исаак Абрамович, как вы относитесь к сексу?

– Во-первых, меня укачивает, а во-вторых, после меня надо перетрахивать.

♦

– Абрам, что такое судьба?

– Ой, это если вы идете по улице, и вам на голову падает кирпич!

– А если мимо?

– Значит, не судьба.

♦

– Хаим, ты играешь на скрипке?
– Нет.
– А на рояле?
– Да.
– Что «да»? – Тоже нет?

♦

В субботу Хаим спрашивает Рабиновича:
– Рабинович, скажи: любовь – это работа или удовольствие?
– Наверное, удовольствие, иначе я бы нанял человека.

♦

– Рабинович! Куда вы так спешите?
– В бордель!
– В шесть утра?!
– Ой, хочу поскорее отделаться.

♦

– Скажите, вы принимаете на работу людей с фамилией на «штейн»?
– Нет!
– А на «ман»?
– Нет!

– А на «ко»?
– Да, принимаем.
– Коган, заходи!

♦

К директору цирка приходит человек, ставит на стол чемоданчик, оттуда выбегают мышки во фраках, достают из крохотных чехольчиков инструменты и играют вторую симфонию Чайковского.

Директор:

– Неслыханно! Невероятно!

– Что, берете?

– Не могу. Первая скрипка у вас, несомненно, еврей.

♦

– Слушайте, Хаим, вы не были в Одессе, так вы таки потеряли полжизни!

– А что это за город, Одесса?

– О, это очень большой город, в нем больше мильена жителей...

– А евреи там есть?

– А вы шо, глухой?

– Ну хорошо, я таки приеду в Одессу. Где я там буду жить?

– У мине.

– А где я вас найду?

– Господи боже-ж мой! Выйдете на Малую Арнаутскую, дом 23, зайдете во двор и крикнете: Ра-би-но-вич! Все окна откроются, кроме одного. Это буду я, Шапиро...

♦

– Диночка Исааковна, я вас поздравляю с днем рождения и желаю всего-всего самого-самого!

– Спасибо, дорогая! Ведь никто меня не поздравил, ни одна сволочь, кроме тебя!

♦

– Сара, мне сказали, что ты мне изменяешь.

– Неправда!

– Да еще и с пожарным.

– Ну это уже совсем неправда!

♦

– Вы знаете, Сема, доктору удалось вылечить меня от склероза. Он просто волшебник, Сема! Я вам его очень рекомендую.

– Спасибо, Хаим, но как зовут вашего доктора?

– Как зовут?.. Хм, как зовут… Э-э… Как называется цветок, красный цветок с шипами?

– Роза.

– Да-да, вот именно, роза!.. Роза, золотце, – обращается Сема к своей супруге, – а как зовут моего доктора?

♦

Молодой адвокат спрашивает старого:

– Соломон Моисеевич, назовите самый удачный день в вашей карьере.

– Самый удачный день был, когда я выиграл пять судов подряд.

– Но я слышал, другие адвокаты выигрывают за день и больше!

– Молодой человек, в тот день я выиграл в карты пять судов у директора Одесского морского пароходства!

♦

– Рабинович! Я слышал, вы стали импотентом. Ну и как вам?

– Сказать честно? Как гора с плеч!

♦

Еврейская семья собирается на похороны. Мойша надевает ярко-желтые ботинки. Сара:

– Мойша, надень черные ботинки и идем!

– Я хочу желтые.

– Черные, и мы уже пошли!

– Хорошо, я надену черные, но никакой радости эти тещины похороны мне не принесут.

♦

– Алло! Абраша? Привет! Сколько лет! Ну как жизнь?

– Просто замечательно.

– Замечательно? Извините, я, наверное, не туда попал.

♦

– Ну и пузо же ты нажрал, Мойша! Ну и пузо…

– Ой, что ты, Хаим! Разве это пузо?!

– А что же это тогда?

– Это не пузо! Это комок нервов!

♦

Раввин возвращается домой и по дороге видит, что впереди идет его друг Моррис. Раввин попытался его догнать, но с ужасом заметил, что тот заходит в китайский некошерный ресторан. Подойдя к окну ресторана, раввин увидел, как Моррис заказал целую тарелку ребрышек, креветок в соусе из омаров и прочие трефные блюда.

Как только он принялся за еду, раввин ворвался в ресторан и стал распекать Морриса:

– Как ты можешь это есть! Мы считали тебя благочестивым и религиозным евреем!

Тогда Моррис ответил:

– Рабби, вы видели, как я вошел в этот ресторан?

– Да.

– Вы видели, как я заказал эти блюда?

– Да!

– Вы видели, как мне их принесли?

– Да!

– И вы видели, как я их ел?

– Да!!!

– Так в чем же дело?! Обед прошел под наблюдением раввина!

♦

Приходит Рабинович к местечковому ребе:

– Ребе, можно курить в субботу?

– Конечно, нет!

– А вот мой сосед Шлема курит!

– Так ведь они ни у кого и не спрашивает!

♦

Рабинович встречает Изю и говорит ему:

– Я купил туфли в два раза меньше размера моей ноги.

– Уже на туфлях экономишь? – спрашивает Изя.

– Да нет, – объясняет Рабинович, – просто когда домой заходишь, там жена-истеричка, сын-наркоман, сосед-псих. Тогда я снимаю туфли… и так хорошо!..

♦

– Сема, сколько ты сможешь съесть пирожков натощак?

– Ну, наверное, штук пять-шесть.

– Вот ты и попался, Сема! Натощак ты можешь съесть только один пирожок. Остальные будут уже на сытый желудок!

– Да, вот это хохма так хохма! Ну-ка я сейчас Абрашу подловлю… Эй, Абраша, поди сюда! Сколько ты сможешь съесть пирожков натощак?

– Один.

– Вот ты и попался, Абраша! Надо было говорить: «Штук пять-шесть». Я бы тебе тогда такую хохму рассказал!

♦

Местечковый богач отдал сына учиться в религиозную школу. Спрашивает у учителя:

– Ну, как успехи?

– Уже разучиваем поминальную молитву.

– Зачем? Я пока умирать не собираюсь.

– Э-э, чтоб вам жить столько лет, сколько он будет учить поминальную молитву!

♦

– Изя, где ты шлялся всю ночь?

– У Семы был.

– А что ты там делал?

– В шахматы играл.

– В шахматы! А пахнет от тебя водкой!

– А чем от меня, по-твоему, должно пахнуть? Шахматами?!

♦

– Сарочка, золотце, ты не хочешь нам что-нибудь спеть?

– Но, Абраша, гости уже собрались уходить.

– А мне кажется, они что-то не очень торопятся…

♦

У Абрамовичей засиделись гости. Сара раздвигает занавески и, глядя на дом напротив, задумчиво, но громко говорит:

– У Фарберов сегодня тоже были гости, так у них уже два часа как свет погас.

♦

Один хасид влюбился в русскую девушку. Состриг пейсы, сменил сюртук на изящный костюм, отпустил маленькие усики, купил букет цветы и пошел на свидание. Тут выскочила из-за угла машина и сбила его. Когда он предстал перед Богом, то обратился к нему с жалобным упреком:

– Господи! За что? Я же так в тебя верил! Соблюдал все твои заповеди!

И услышал в ответ:

– Мойша, это ты? А я тебя не узнал!

♦

– Вы слышали, Кацман все-таки скончался. Бедняга!

– Да, но зато какие профессора его лечили!

♦

– Абрам, вы, я слышал, хорошо устроились. На Новодевичьем кладбище работаете?

– Да, не жалуюсь.

– Абраша, дорогой, вы ведь мне как родной. Я же вас вот с такого вот возраста знаю. У меня к вам просьба огромная. Я всю жизнь мечтал, чтобы меня положили на Новодевичьем.

Не откажите помочь. Ну что вам стоит? У вас ведь наверняка найдется местечко? А? Для старого друга семьи?

– Ну, кончено, Моисей Соломонович. Для вас все что угодно! Так-так, посмотрим… Вот у меня как раз имеется лишнее место…

– Ой, Абраша, золотой вы мой! Вы его забронируйте за мной, ладно?

– Ну, конечно, Моисей Соломонович! Как я вам могу отказать?.. Только есть одно условие.

– Какое?

– Ложиться надо завтра.

♦

Двое русских предстали перед судом по обвинению в избиении двух евреев.

– Гражданин судья! Распили мы пол-литра, включили радио. Они под Газой. Распили мы еще пол-литра – они уже на Суэцком канале. Пошли в магазин, взяли еще пол-литра, распили тут же...

Глядим, они уже здесь, возле метро стоят! Ну мы их того...

♦

После Октябрьской революции обеспокоенный Бог послал в Россию трех наблюдателей: Луку, Илью и Моисея. От них поступают телеграммы: «Попал в ЧК. Святой Лука». «Попал и я. Пророк Илья». «Жив-здоров. Нарком Петров».

♦

На учениях по стрельбе солдат Иванов промахнулся, солдат Петров промахнулся, а солдат Рабинович попал в цель. Командир обращается к строю:

– Берите пример с Рабиновича – плохой солдат, а старается!

♦

Два поляка в одной камере.

– Из-за евреев сидим!

– Так их ведь почти не осталось в Польше!

– В том-то и дело! Если бы они были, то сидели бы они, а не мы.

♦

– Ох уж эти евреи! Для себя выдумали сионизм, а для других – марксизм!

♦

Штирлиц, внедренный в гестапо, сгорел так: Мюллер вызвал его и, желая испытать, сказал:

– Нам стало известно, что вы еврей!

– Что вы, я русский! – вырвалось у Штирлица.

♦

Трамвай едет по Ленинграду. Кондуктор объявляет остановки.

– Площадь Урицкого!

– Бывшая Дворцовая, – комментирует старый еврей.

– Улица Гоголя!

– Бывшая Малая Морская.

– Проспект 25 Октября!

– Бывший Невский.

– Замолчите, наконец, товарищ еврей, бывшая жидовская морда.

♦

Новый директор НИИ – большой демократ. Он запросто пришел в лабораторию и жмет руки сотрудникам. Те представляются:

– Иванов.

– Очень приятно!

– Петров.

– Очень приятно!

– Рабинович.

– Ну-ну, ничего, ничего, – похлопывает его по плечу директор.

♦

– Изя, я так благодарен вам за все, что вы для меня сделали! Я решил преподнести вам подарочки! Вот вам костюм!

– Ой, бросьте, мне ничего не нужно!

– Вот еще рубашечка...

– Что он делает, что он делает?

– И ботиночки...

– Он сошел с ума! Он сошел с ума!

– Ну вот и все.

– ...а галстук?

♦

– Фима! Вы слышали новость!? Рабиновича ограбили! Вынесли из квартиры все!

– Так он им все и отдал!..

– Его раскаленным утюгом пытали!

– Шо ви говорите! Так ему еще и за свет намотало?!

♦

– Мы бы вас взяли, но нам нужен сотрудник со знанием высшей математики.

– Я окончил мехмат.

– Очень хорошо, но нужно также знать ядерную физику.

– Я также окончил физфак.

– Замечательно! Но дело в том, что в Ашхабаде у нас есть подшефное предприятие, так что нужно знать туркменский язык.

– Я знаю туркменский язык.

– И долго ты еще будешь надо мной издеваться, жидовская морда?!

♦

В отделе кадров:

– Здгавствуйте!

– До свидания!

♦

Хрущеву представили на утверждение список кандидатов на пост главного раввина Московской синагоги.

– Вы что, с ума сошли? – заорал Никита Сергеевич.

– У вас же здесь одни евреи!

♦

В Политбюро решают, как поступить со снятым Хрущевым.

– Я предлагаю подыскать ему тяжелую работу.

– А я предлагаю дать ему еврейский паспорт – пусть устраивается на работу сам!

♦

– Товарищ Рабинович, мы вынуждены вас уволить.

– Но я же по паспорту русский.

– Вот именно поэтому – мы уже уволили десять евреев, надо же когда-нибудь уволить и русского!

♦

Одесса. Староконный рынок.

– Мадам, купите кота!

– А какой он породы?

– Сибирский.

– Не может быть, у него же шерсть короткая!

– Мадам, я вам таки ничего не скажу за его шерсть, но жрет он исключительно пельмени!

♦

Израиль – единственная страна, гражданство которой можно получить хирургическим путем.

♦

– Тетя Роза! – бросается к гостье маленькая племянница. – Как хорошо, что вы приехали. Теперь у нас будет полное счастье.

– Почему ты так решила? – спрашивает тетя.

– Потому что папа, когда узнал, что вы к нам едете, сказал: «Только ее нам для полного счастья не хватает!»

♦

– Розочка, вы можете посоветовать мне какую-нибудь хорошую химчистку?

– Какую: корейскую или еврейскую?

– А какая разница?

– Вы спрашиваете за разницу? Корейцы вам почистят все, а евреи – только карманы.

♦

Вскоре после революции разговаривают двое русских.

– Если в городе сто человек большевиков, то, как ты считаешь, сколько среди них евреев?

– Ну, положим, шестьдесят.

– А остальные?

– Остальные? Остальные – еврейки.

♦

– Изя! Почему ты перестал играть в карты с Рабиновичем?

– А ты играл бы с человеком, который все время жульничает?

– Конечно, нет!

– Ну и Рабинович тоже не хочет.

♦

– Рабинович, значит, вы хотите занять у меня пять тысяч долларов. А где гарантия, что вы их мне вернете?

– Я даю вам слово честного человека!

– Хорошо, я вас жду сегодня вечером вместе с этим человеком.

♦

Абрам: Сара, ты меня любишь?

Сара: Да!

Абрам: Заплачешь, когда я умру?

Сара: Да!

Абрам: Покажи, как ты заплачешь.

Сара: А ты сначала умри!

♦

– Рабинович, почему вы продаете свою дачу вдвое дороже, чем Шлемензон напротив? Ведь у него дача красивее и просторнее вашей, и сад более ухоженный?

– Живя на моей даче, вы таки можете любоваться на такой прекрасный вид! А что вы увидите с дачи Шлемензона?

♦

– Фима, сыночек мой, ты съел все пирожные, не думая о своей сестренке! – укоризненно говорит одна одесская мама.

– Нет, мамочка, наоборот, я только о ней и думал, потому что боялся, что она придет раньше, чем я успею их съесть.

♦

Рабинович:

– Помогите, люди добрые! Разорился, нищенствую... Нужда стучится в дверь.

Друзья:

– Яша, можем помочь тебе хорошим советом: не открывай ей дверь, пускай себе стучится!

♦

Только в Израиле, подавая милостыню, просят сдачу.

♦

К Рабиновичу в дверь постучал соседский мальчик:

– Яков Моисеевич, к нам приехали гости, папа просит у вас штопор.

– Хорошо, Фима. Скажи папе, что я сейчас переоденусь и сам принесу.

♦

Только в Израиле, если в кране нет воды, обвинить некого.

♦

– Сема, ты мне полтинник должен.
– Ладно, Моня, запиши на мой счет.
– Хорошо, прибавлю к тем 100 баксам.
– За что сто баксов?
– За открытие счета.

♦

Идет мужчина по Привозу. Видит, продают семечки. У одного торговца цена – 10 копеек, у другого – 10 копеек. Отдельно сидит еврей и торгует семечками по 20 копеек за стакан.
– Товарищ, почему вы продаете семечки по двадцать копеек, а другие – по десять?
– Вы что, сами не понимаете, что двадцать копеек больше, чем десять?

♦

Рабинович переходит реку по хлипкому мосту и трясется от страха.
– Боже, – думает он, – если перейду, отдам пять тысяч гривен первому же нищему.

Мост перестал раскачиваться.

– А не слишком ли много я пообещал? Десяти гривен будет вполне достаточно.

Мост опять начинает раскачиваться.

– Боже, ты что, шуток не понимаешь?

♦

Крупный одесский предприниматель, к своему несчастью, заказал художнику-новатору картину, представляющую переход евреев через Красное море.

Художник долгое время не отзывался, наконец, после неоднократных напоминаний, явился с огромным холстом, покрытым сверху донизу одной и той же краской цвета морской волны.

– Что это такое? – удивился заказчик.

– Красное море.

– А где же войска фараона?

– Утонули.

– Ну а где, черт возьми, евреи?

– Уже прошли.

♦

Сара умирает и говорит мужу:

– Абрам, женись после моей смерти.

– Нет, Сара.

– Абрам, я прошу тебя, о тебе кто-то должен заботиться.

– Нет, Сара.

– Абрам, но это моя последняя просьба, почему ты отказываешься ее выполнить?

– Потому, Сара, что лучше тебя мне все равно не найти, а такую же как ты, мне больше не надо.

♦

Сара выходит во двор в платье с очень низким вырезом на спине. Соседка:

– Сарочка, я вам посоветую! Вы или выше шейтеся, или ниже мойтеся!

♦

Хозяйке представляют очередного гостя:

– Это доктор Лифшиц.

– Очень рада. Скажите, доктор, ночью я часто просыпаюсь...

– Извините, я доктор права, и к медицине отношения не имею.

– Хорошо, а какое бывает наказание за отравление супруга?

♦

На конгресс Коминтерна не приехал представитель Африки. Из ЦК телеграфируют в Одессу: «Срочно требуется негр». В тот же день приходит ответ из Одессы: «Рабинович выкрашен. Как высохнет – высылаем».

♦

Муж приходит с работы взбешенный.

– Дорогая! Арафат – мерзавец! Я его убью! Разорву на части!

– Милый, что случилось?

– Да на работе получил письмо с белым порошком.

– Господи! Неужели сибирская язва?

– Хуже! Триппер.

♦

Израиль ведет две войны – с терроризмом и ожирением.

Особая удача – когда попадаются жирные террористы.

♦

Еврей выигрывает в лотерею миллион рублей. Ему выдают выигрыш 10-рублевыми купюрами. Тут же откуда ни возьмись появляется журналист и спрашивает еврея:

– Что вы собираетесь делать с этими деньгами?

Ни секунды не колеблясь, тот отвечает:

– Пересчитаю.

♦

– Изечка! Как ты думаешь, может, мне прическу поменять, волосы назад зачесать?

– Сара, ну ты что – сдурела? Где волосы, а где зад?!

♦

Сидят два еврея и обсуждают фильм «Титаник». Один говорит:

– Я вот сколько раз посмотрел, столько прослезился…

– Я тоже… Так бриллиант жалко…

♦

Проанализировав песню про Стеньку Разина, российские ученые выявили истинного убийцу персидской княжны. Как и предполагалось, им оказался еврей, о чем неопровержимо свидетельствуют слова известной народной песни:

«Изя Борт ее бросает в набежавшую волну!»

♦

Мама кричит сыну, забравшемуся на дерево:

– Моня, или ты сейчас упадешь и сломаешь себе шею, или ты сейчас слезешь, и я набью тебе морду.

♦

В Одессе на сигаретных пачках написано: «Мамочка узнает – убьет».

♦

Одесса. Аптека. Рабинович:

– Извините, а сколько стоит у вас снотворное?

– Три рубля и то – исключительно для вас!

– Ой, не смешите меня! За такие деньги я вообще никогда не засну!!!

♦

На Привозе:

– Почем ваш напильник?

– Это рашпиль.

– Ну хорошо, почем ваш рашпиль?

– Не «хорошо», а надо знать, что ты покупаешь!

– Я рад, что вы знаете, что вы продаете, так сколько же вы просите за это ржавое железо?

♦

– Мамочка, почему Соломон был такой мудрый?

– Потому, сынок, что у него было много жен и он со всеми советовался.

♦

Крупный фабрикант приходит к раввину:

– Ребе, у меня проблемы. Фабрика приносит одни убытки, дисциплины никакой, производительность на нуле, долги растут, налоги заели. Что делать?

– Возьми Талмуд, положи его подмышку и обходи всю фабрику два раза в день.

Через месяц приходит радостный фабрикант к раввину и говорит:

– Замечательно, воровство на работе прекратилось, бездельники уволены, производительность выросла, с долгами покончено! В чем секрет?

– Руководитель должен постоянно находиться у себя на производстве и вникать во все, что происходит.

– Это я понял. А Талмуд зачем?

– Для солидности.

♦

В магазине канцтоваров.

– Мне нужен кульман.

– Нету Кульмана, в командировке..

– Да нет, мне для ватмана..

– Ватмана посадили..

– Нет, вы меня не так поняли, я – дизайнер..

– Вижу, что не Иванов!

♦

Хозяин еврейского ресторана, укоризненно:

– По мне, вы можете бросать наши зубочистки на пол, можете ковырять ими в ушах, можете чистить себе ногти. Но ломать их я вам не позволю!

♦

– Сарочка, вот я смотрю на тебя и не могу понять: как Бог создал тебя такую красивую и такую глупую?

– Очень просто. Красивую – чтобы я нравилась тебе, а глупую – чтобы ты мне нравился.

♦

Моня и Ицик эмигрировали в Париж. Французского ни один из них не знает.

Приходят они первый раз в ресторан. На всех столах стоят маленькие стеклянные баночки, в них какая-то желто-коричневая масса. Должно быть, это что-то очень дорогое, потому что посетители берут эту массу крохотными порциями. Моня и Ицик ломают голову, что бы это могло быть.

(Горчица у евреев Восточной Европы была почти неизвестна, вместо нее употребляли смесь тертого хрена со свеклой.) Они решают попробовать, что это за желтая дорогая вещь. Как только официант отвернулся, Ицик зачерпнул горчицу столовой ложкой и быстро отправил в рот. Из глаз у него брызнули слезы, лицо побагровело.

– Что с тобой? – удивляется Моня.

– Ах ты знаешь, – отвечает Ицик, – я сейчас вспомнил, что в прошлом году утонул мой брат Додик.

– Сочувствую! А как эта желтая штука? Вкусно?

– Очень.

Тогда Моня тоже набирает ложку горчицы, сует ее в рот – и тоже начинает плакать.

– А ты чего плачешь? – спрашивает его Ицик.

– Я плачу оттого, – отвечает Моня, – что в прошлом году ты не утонул вместе с Додиком.

♦

– Что думает замужняя еврейка, глядя на себя в зеркало?
– Так ему и надо.

♦

У одесского долгожителя спрашивают:
– Семен Маркович, а вы верите в приметы?
– Смотря в какие.

– Ну вот, например, проснулись вы утром, а за окном...

– Ой таки, деточка! В моем возрасте, если проснулся утром – это уже хорошая примета...

♦

Конферансье объявляет:

– Выступает квинтет имени дружбы народов. Исполнители:

Пилипенко – Украина;

Карапетян – Армения;

Мамедов – Азербайджан;

Мугашвили – Грузия;

Рабинович – скрипка.

♦

Трех евреев крестят в православие. Подходит первый. Батюшка:

– Ну, сын мой, как тебя зовут?

– Мойша.

– Ну, Мойша, будешь Михаилом. И созвучно, и подобно.

Подходит второй.

– Сын мой, как тебя зовут?

– Хаим.

– Ну, Хаим, будешь Харитоном. И созвучно, и подобно.

Подходит третий.

– А тебя, сын мой, как зовут?

– Сруль.

– А ты, Сруль, будешь Акакием. Хоть и не созвучно, но подобно.

♦

Теплоход из Израиля приходит в Одессу, моряки сходят на берег.

В портовой пивной один одессит задает им такой вопрос:

– Мы много слышали про вашу замечательную страну. Вы блестяще со всем справились: пустыню оросили, болота осушили, арабов отбросили... Одна загвоздка – говорят, у вас огромные трудности с евреями. Это правда?

♦

– Моня, скажи мне, евреи избранный народ?

– Да, Изя, избранный.

– А почему он избранный?

– Потому что, когда ищут виновного, всегда евреев выбирают.

♦

Старый еврей в загсе просит сменить фамилию.

Все в шоке, мол, зачем тебе, дедуля, все равно уже скоро туда...

Еврей: «Да плиту могильную нашел готовую, че добру пропадать?»

♦

Одесса. Заходит в частный дом человек из фирмы, производящий пылесосы, высыпает на ковер кучу пыли и говорит:

– Я таки съем все, что останется после работы нашего пылесоса!

Хозяйка ему в ответ:

– Да шо вы говорите! Я сейчас принесу вам ложку, вы знаете, у нас уже два дня нет электричества!

♦

В темном переулке грабитель останавливает еврея:

– Давай деньги и не вздумай шуметь!

– Ой, шо вы! Я ничего не имею против того, шобы быть ограбленным, но у меня нет при себе денег... Давайте я вам буду должен...

♦

Сара жалуется знакомой:

– Нам домой постоянно звонит какой-то мужчина и просит позвать меня к телефону! А моему Абраму нельзя волноваться!

– У вашего мужа больное сердце? – спрашивает дама.

– Да! – вздыхает Сара, – а теперь у него и с горлом проблемы. Бедняжка совсем осип, он пытался мой голос подделать.

♦

Приходит налоговик в синагогу и спрашивает раввина:

– Скажите, числится ли в вашем приходе некий Самуил Яковлевич Кац, владелец ресторана?

– Да, сын мой. Он примерный прихожанин!

– В своей налоговой декларации, в статье расходов, он указал 20 тысяч долларов пожертвований. Скажите, вы получали эти деньги?

– ??? Не волнуйся, сын мой, прямо завтра и получу!!!

♦

Пастор говорит своему приятелю раввину:

– Слушай, я знаю гениальный трюк, как в ресторане бесплатно поесть.

– Ну-ка расскажи!

– Идешь в хороший ресторан, где тебя не знают, незадолго до закрытия. Заказываешь закусочки, там блюда самые лучшие, десерт, потом коньячок, кофе, сидишь, не спеша куришь сигару.

Когда все официанты разойдутся, последний к тебе подойдет за деньгами – говоришь, мол, а я уже вашему товарищу заплатил, который ушел.

– Отлично! Попробуем завтра?

– ОК.

На другой день идут в ресторан. Заказывают все по полной программе и сидят до упора. Наконец последний официант подходит:

– Извините, но мне пора уже все закрыть, давайте рассчитаемся.

Пастор:

– Но мы же уже вашему коллеге деньги отдали.

Раввин:

– Кстати, и долго нам еще сдачи дожидаться?

♦

Вернулся еврей с рыбалки и говорит жене:

– Ну и скупые же люди пошли! Мы с ребятами договорились: кто первый рыбу поймает, тот ставит магарыч, а кто второй – закуску, и что же ты думаешь?

Смотрю, у Сереги поплавок на дно пошел, а он сидит, как будто не видит. У Петьки тоже потянуло, аж удилище согнулось.

А он – ни гугу! Вот скупердяи!

– А у тебя клевало? – поинтересовалась жена.

– Дураков нет. Я вообще без наживки закинул.

♦

В еврейской полицейской школе молодого курсанта спрашивают:

– Что бы вы стали делать, если бы вам в одиночку пришлось разгонять демонстрацию?

– Я снял бы фуражку и стал бы собирать на благотворительные нужды.

♦

Приходит еврей в паспортный стол.

– Скажите, теперь действительно графа «национальность» не указывается?

– Действительно.

– И теперь у нас с Сарой паспорта будут без этой графы?

– Да. Только они у вас будут шестиугольные.

♦

1988 год. Польский еврей уезжает в Израиль. Соседи – бездетная пара просят его зайти в самую лучшую католическую церковь в Иерусалиме и поставить свечку. Верить – не верят, но хуже не будет.

1998 год. Тот же еврей приехал погостить в родной город. Заглянул к бывшим соседям. Дверь открывает жена. Шум, визг, не менее десятка чумазых полуголодных детишек – мал мала меньше.

– А где муж?
– В Израиль уехал.
– А что он там делает?
– Да хочет найти, где ты эту чертову свечку поставил!

♦

Похоронная процессия в Иерусалиме. За гробом молодой женщины идет муж – пожилой еврей. Из толпы зевак вываливается такой же:
– Соломон, здравствуй, сколько лет, сколько зим, как поживаешь?
– Здравствуй, Яков, плохо я живу, вот вторую жену уже хороню.
– Так ты был второй раз женат?! Прими мои хоть и запоздалые, но искренние поздравления!

♦

В гостях:
– Моня, это не ешь, это у нас дома есть!

♦

Хаим – Циле:
– Туфли у тебя от кого?
– От Ле Монти.
– А платье?
– От Кардена.

– А беременна ты от кого?
– От природы.
– А может, от Рабиновича?
– Откуда я знаю. Их на природе много было...

♦

Еврей приходит к раввину и просит сделать обрезание своей собаке. Раввин долго отказывается. Прихожанин увеличивает плату. Раввин ни в какую.

Наконец прихожанин говорит:

– Если вы сделаете обрезание моему доберману, я дам вам 10 тысяч долларов.

– А-а, ну если речь идет о Добермане, это в корне меняет дело!

♦

– Изя, привет! Как дела?
– Зачем спрашиваешь, в одной стране живем...

♦

Рабинович заходит домой, смотрит, из-под койки торчит огромная задница:

– Сара, что это-то?
– Обыкновенный таз!

Рабинович бьет его ногой. Голос из-под кровати:
– Ой! То есть бом!

♦

Бедный еврей приходит к свахе:

– Мне надо, чтобы девушка была молодая, красивая, умная и богатая.

– Что? – возмущается сваха. – Если такая девушка согласится выйти за такого голодранца, как ты, значит, она сумасшедшая!

– Что ж, если у нее будет все, о чем я говорил, я согласен, пусть будет сумасшедшая.

♦

Поехала арабская женщина на заработки в Израиль и возвращается домой беременная. Муж ей говорит:

– Ты что, шлюха, наделала?! Позор!!

А она ему отвечает:

– Какой позор? Я привезла с собой еврейского заложника!

♦

Если гора не идет к Магомеду, значит, Моисей заплатил больше!

♦

Еврейская семья купила говорящего попугая. Родня пришла поглазеть на диковинную птицу и видит: мама хватается за сердце, папа – за голову, а попугай кричит из клетки: «Бей жидов!»

Мама:

– Исаак, где были твои глаза, кого ты привел в дом?

– Циля, ну кто бы мог подумать? Ведь с таким носом...

♦

– Сарочка, я так люблю тебя.

– Почему же ты раньше не говорил об этом?

– Откуда же я мог знать, что ты выиграешь Грин-карту?

♦

– Как дела, Рабинович?

– Хорошо: ждем прибавления в семействе.

– А по вашей дочке не скажешь!

– Так ведь зять только завтра вернется из командировки.

♦

Абрам пришел поздно вечером к Мойше в гости. Сидят, разговаривают. Хозяин предлагает:

– Давай свет выключим. Мы и так друг друга услышим, и электричество зря жечь не будем. Мойша согласился.

Через час Мойша собрался уходить. Абрам встал, чтобы включить свет и проводить гостя:

– Подожди, Абрам, дай сначала одеться – я штаны снял, чтобы зря не протирать.

♦

Заявление от Рабиновича Хаима Ионафановича:

«Прошу направить меня на курсы повышения заработной платы».

♦

«Если проблему можно решить за деньги, то это не проблема, это расходы».

Еврейская мудрость.

♦

Морозная зима. Продрогший Абрам приходит вечером домой.

– Хотел на попутке доехать, – говорит он жене, – возле меня Рабинович на своем «жигуленке» остановился. Знаешь сколько этот поц с меня за поездку запросил?!

– Надо было с ним поторговаться! – отвечает Сара.

– Я так и сделал! – кивает Абрам, – ты Рабиновича плохо знаешь! Когда мы наконец сторговались, он уже не смог мотор завести!

♦

– Хаим, сегодня Рождество, пойдем выпьем!
– Сема, но это же не наш праздник.
– Хаим, я не понимаю, почему бы одному еврею не выпить с другим евреем за день рождения третьего еврея?!

♦

– Рабинович, как вы считаете, что сильнее: знание или чувство?
– Чувство!
– Почему?
– Вот знаю, что я должен Додику пятихатку, но чувствую... не отдам.

♦

Разговаривают два старых еврея. Один говорит:
– Ты представляешь, я вчера встретил своего сына, которого не видел 30 лет!
– И как же ты его узнал?
– По пальто.

♦

На Привозе:
– Почем лимон?
– Сто рублей

– Почему так дорого?
– Потому что это не лимон, а лимонка.
– А гранат почем?
– Тоже сто. Потому что не гранат, а граната.
– Хорошо, беру.
– А деньги?
– Вместо денег возьми мой торт.
– На кой черт мне твой торт?
– Да ты послушай, как тикает! Это же не просто торт, а осколочный...

♦

Одессит Рабинович заметил в парке Шевченко объявление: «Не топчите на газоне траву, за нарушение штраф – 5 гривен!», сильно удивился и обратился к милиционеру:
– А почему изменили размер штрафа? Раньше за это же нарушение полагался штраф 10 гривен?
– Пришлось снизить, – ответил милиционер. – За 10 гривен никто траву топтать не хотел.

♦

Богатый еврей в полицейском комиссариате:
– Какой-то негодяй выдал себя за моего агента и собрал в провинции сто тысяч франков. Это больше, чем получили все мои агенты. Вы должны немедленно его найти!

– Мы его обязательно выследим и арестуем.

– Зачем арестовывать? Я хочу взять его на работу!

♦

В ожидании гостей Рабинович предупреждает жену:

– Праздничный сервиз можешь поставить на стол, а серебряные ложечки не подавай.

– Яша, неужели ты думаешь, что гости могут их украсть?

– Нет, Сара, я таки думаю, что их могут узнать.

♦

Богатая еврейская пара решила провести отпуск в Австралии, и полетели они туда на собственном самолете.

По дороге в самолете отказали мотор и рация, и им с огромными сложностями пришлось приземлиться на необитаемом острове посреди океана.

Первый шок прошел, и мужчина спрашивает:

– Сара, а скажи-ка мне, там перед отлетом звонили из еврейского агентства, просили деньги для Тель-Авивского университета. Ты им послала чек?

– Нет, Соломон, все собиралась и забыла.

– А приходило письмо из Любавической синагоги – они просили помочь с ремонтом. Ты им что-то платила?

– Извини, дорогой, замоталась, и как-то вылетело из головы.

– А там лежало на тумбочке обращение Сионистского комитета с просьбой пожертвовать деньги на репатриацию в Израиль – ты им ответила?

– Тоже нет, думала после приезда. Извини, Соломон! Муж бросается к жене с горячими поцелуями.

– Что, дорогой, что случилось? Ты меня раньше так никогда не целовал!

– Сара, они нас найдут!!!

♦

Рабинович показывает дачу, которую продает, супружеской паре:

– Давайте поступим следующим образом: вы назовете цену, за которую хотите приобрести дом, мы от души посмеемся, а потом поговорим о деле.

♦

Еврей дачу застраховал, полис получил, смотрит недоверчиво на агента:

– И что, ви хотите сказать, что я получу столько денег, если сгорит моя дача?

– Да, но только если вы ее не сами подожжете.

– Я таки знал, что тут какой-то подвох!

♦

– Сема, вы слышали, что 12 декабря 2012 года будет конец света?

– Не только слышал, но и уже поставил свое состояние на то, что его не будет.

♦

– Ганс, почему из трубы крематория идет такой черный едкий дым?

– Этот скряга Абрам так и не пожелал снять свои калоши.

♦

Маленький еврей говорит своему деду:

– Дедушка, только что двое русских отобрали у меня все деньги!

– Ничего, внучек.. Они вернут в семь раз больше!

– Почему?

– Сейчас они это отметят. Затем затеют пьяную драку. Набьют друг другу морды, повыбивают зубы... Ну а потом придут их вставлять ко мне.

♦

Сидит Абрам с Сарой дома и видят в окно, что к ним идет Хаим.

Абрам Саре:

– Смотри, щас он зайдет и будет что-нибудь клянчить!

Заходит Хаим:

– Абраша, ты будешь сегодня пользоваться дрелью?

– Да, целый день она будет мне нужна!

– Вот и чудненько, не одолжишь на денек свои удочки?!

♦

Хаим звонит домой:

– Сарочка, я сегодня ночевать не приду, мы тут у Абрама в преферанс играем.

Сара, прикрыв трубку ладонью:

– Абрам, ты слышал, они там у тебя в преферанс играют…

♦

Выходя из здания одесского городского суда, адвокат поворачивается к своему клиенту, который выглядит очень расстроенным, и спрашивает:

– Додик, в чем дело?! Вас же полностью оправдали.

– Так-то оно так, Семен Маркович, но таки теперь-то я точно влип. Я сдал свою квартиру на три года…

♦

Перед смертью Кац обращается к жене:

– Выполнишь ли ты мою последнюю просьбу?

– Конечно, Изя.

– Я хочу, чтобы через шесть месяцев после моей смерти ты вышла замуж за Зильбермана...

– Но я полагала, что ты его ненавидишь?

– Еще как!..

♦

В одесском магазине у еврея-продавца покупательница спрашивает:

– Послушайте, вы говорите, что это чистый хлопок, а на бирке написано: «синтетика».

– Мадам, это же мы моль обманываем!

♦

Изя Гольдберг получает по почте приглашение от Рабиновича на свою серебряную свадьбу. В конце приглашения написано: «Тем друзьям, которые не смогут к нам придти, подарки будут возвращены».

Изя говорит жене:

– Надо что-то подарить, не прислать подарок неудобно. Но есть выход – мы к Рабиновичу не пойдем. Подарок-то должны вернуть.

Короче, Изя идет к соседу и просит одолжить на несколько дней роскошный и страшно дорогой серебряный канделябр. Отсылают этот канделябр Рабиновичу.

Проходит три дня, пять дней, неделя, две – канделябр не возвращается.

Еще через неделю Изя говорит жене:

– Забыл, видно, Рабинович обо мне и канделябре. Зайду-ка я к нему и ненавязчиво намекну.

Заходит. Рабинович встречает его с распростертыми объятьями:

– Ну, наконец-то, дорогой. А я как раз сегодня жене говорю – если наш Изя и сегодня не сможет к нам придти, вечером – отсылаем канделябр.

♦

Винницкие евреи нашли способ сделать сало кошерным. Они начали подковывать свиней...

♦

– Алло! Полиция! Это хозяин ювелирного магазина! Меня хотят ограбить!

– А, Рабинович, опять вы? Не можем вам помочь. По закону, если клиент попросил скидку 2%, это еще не считается грабежом!

♦

– Соня подвинься, а то я упаду с кровати.

– А ты прижмись к моей спине.

– Можно подумать, что тогда не упаду.

– Есик, ну ты же бывший моряк...

– И что?

– Значит, надо пришвартоваться и бросить якорь.

♦

Сидят два старых еврея, беседуют за жизнь. На кухне хлопочет жена одного из них. Разговор зашел о женщинах, один полушепотом, доверительно спрашивает:

– Сема, а сколько у тебя всего било женщин?

Сема задумался и гордо, полушепотом отвечает:

– 25!

Из кухни слышен голос его жены:

– Сема, тебя спрашивают не сколько раз у тебя было, а сколько было женщин!

♦

– Абраша! Я тебя просила вынести мусор еще два часа назад! Где ты был?

– Сарочка, не ругайся! Я таки продал этот мусор!

♦

Пришел мужик к священнику и говорит:

– Я грех совершил. Обманул еврея... .

Батюшка отвечает:

– Это – не грех. Это – чудо!

♦

Дьявол подходит к еврею:

– Изя, у меня к тебе выгодное предложение, продай душу?

– Люцик, мое предложение еще выгоднее – бери в аренду?

♦

В сельскую школу приехала молодая учительница. На первом уроке она говорит:

– Дети, запомните: Бога нет! Можете смело показывать фиги в небо.

Все дети начали дружно показывать фиги в небо. Только на задней парте тихо сидит Мойша и не показывает ничего.

– Мойша, а ты почему фигу не показываешь? Бога ведь нет!

– Если там никого нет, то кому показывать фигу?.. А если там кто-то есть, то зачем портить отношения?..

♦

Два одессита пошли в гости. Подходят к двери, и один стучит ногой.

– Сема, но почему ты стучишь ногой?

– Пусть думают, что у нас руки заняты подарками.

♦

– Рабинович, вы куда так бежите сломя голову?

– Таки спешу исполнить свой супружеский долг!

– Вы же живете в другой стороне!

– Туда слишком далеко бежать. Туда я свой супружеский долг боюсь не донесу!!!

♦

– Моня, о чем думают девушки, когда приходят к тебе на операцию по увеличению своего бюста?

– Аркаша, они думают, что смогут грудью проложить дорогу там, где нужны голова и язык.

♦

– Скажите, сколько у вас стоят похороны по первому разряду?

– Десять тысяч.

– А по второму?

– Пять.

– А по третьему?

– Двести рублей.

– А можно по четвертому разряду?

– Можно, но тогда покойник понесет венок сам.

♦

– Скажите, вы еврей?

– Нет, я просто устал.

♦

В большом городе полицейский останавливает двух евреев и спрашивает одного:

– Где ты проживаешь?

– Ха! Где может проживать в таком городе бедный еврей из Крыжополя?

– С тобой все ясно. А где живешь ты? – спрашивает он другого еврея.

– А я его сосед.

♦

– Хаим, сколько ложечек сахара ты мне положил?

– Четыре.

– Положи еще четыре и не мешай.

♦

– Скажите, я смогу играть на скрипке после операции?

– Сможете.

– Здорово! А раньше не мог.

♦

– Вы знаете, у Рабиновича такая умная собачка! Он ей говорит: «Иди за мной» или «Не иди за мной».

– И что собачка?

– Так она или идет за ним или не идет за ним.

♦

Абрам – Саре:

– Сара, ты знаешь, сегодня утром в трамвае какой-то амбал хотел дать мне по голове.

– Откуда ты знаешь?
– Если бы не хотел – не дал бы.

♦

Абрам приходит домой поздно и говорит жене:

– Сара, я не могу спать, я не могу есть, я не могу жить, я сегодня был у Изи, я не могу жить, у Изи золотой унитаз!

И говорит так ей всю ночь. Наутро Сара не выдерживает и идет к Изе. Дверь открывает жена Изи.

– Простите, но муж сказал, что у вас таки совершенно золотой унитаз, он не может жить, я тоже не могу жить, наши дети не могут жить уже давно, жить в этой стране вообще невозможно, у вас есть золотой унитаз или что вы тут мне говорите, можно я на него таки погляжу?

Жена Изи оборачивается и кричит:

– Изя, иди скорее сюда! Пришла жена того идиота, который нагадил тебе вчера в тромбон.

♦

– Как ваша фамилия?
– К-к-к-коган.
– Вы что, заикаетесь?
– Нет, заикался отец, когда ему выдавали паспорт. А какой-то дурак записал.

♦

У еврея спросили, есть ли жизнь на Марсе.
– Тоже нет…

♦

– Сара, нести курицу?
– Нет, гости еще хлеб едят.
Через некоторое время.
– Ну что, нести?
– Неси.
Абрам вносит живую курицу, и она клюет оставшиеся крошки.

♦

К одесситу подходит приезжий с чемоданом.
– Скажите, если я пойду по этой улице, там будет железнодорожный вокзал?
– Знаете, он там будет, даже если вы туда не пойдете!

♦

Объявление на дверях фирмы: «Нужна секретарша со знанием турецкого языка».
По этому объявлению приходит Рабинович.
– Нам нужна секретарша, а не секретарь. Но турецкий язык вы хотя бы знаете?

– Нет.

– Так что же вы пришли?

– Я пришел сказать, чтобы вы на меня не рассчитывали.

♦

– Рабинович, что это у вас под глазом синяк?

– А пусть не лезут!

♦

– Изя, почему ты не занимаешься спортом?

– До завтрака рано, а после завтрака вредно.

♦

– Изя, почему ты сдираешь обои? Они такие красивые!

– Я не сдираю – я переезжаю.

♦

В местечковую синагогу приехал ревизор.

– Куда вы деваете огарки от свеч?

– Отсылаем в город, а назад нам присылают новые свечи.

– А куда вы деваете крошки от мацы?

– Собираем, отсылаем в город, и нам присылают новую мацу.

– А куда вы деваете обрезки после обрезания?
– Отсылаем в город.
– И что вам присылают?

♦

Петька спрашивает Василия Ивановича:
– Василий Иваныч, ты еврей?
– Видите ли, Петр.

♦

Новый русский купил себе пропуск в рай. Пришло время, и он им воспользовался. Встретили его ангелы по высшему разряду и для начала провели экскурсию по раю.
– Вот, говорят, это прекрасные сады с райскими птицами, вот реки шампанского и коньяка, вот сверкающие золотом берега реки. А здесь, пожалуйста, тише, здесь живут евреи.
– Почему тише?
– Они думают, что они здесь одни.

♦

– Сара, сколько вы весите?
– В очках сто двадцать килограммов.
– А без очков?
– А без очков я не вижу весы.

♦

Еврей без бороды – это все равно что еврейка с бородой.

♦

На Красную площадь опустился межпланетный корабль с неведомой звезды. Из него вышел здоровенный парень в космическом костюме и стал оглядываться.

К нему подбегает маленький еврей и спрашивает:

– Скажите, у вас там все такие здоровые?

– Все.

– И у всех такая блестящая одежда?

– У всех.

– И у всех такие шестиконечные звезды на груди?

– Нет, только у евреев.

♦

Интеллигентный еврей обратился в психиатрическую больницу, чтобы его подлечили: он постоянно боялся, что его клюнет в задницу петух. Главврач пошел ему навстречу и положил на обследование. Проходит неделя, другая – врач больше не может держать в психушке с виду совершенно нормального разумного человека и решает его выписать.

На прощание врач – для профилактики – все же спросил пациента:

– Так вы поняли, что вас петух не будет клевать в задницу?

– Я-то понял, но понял ли петух?..

♦

Еврею на шляпу накакала птичка.

– Хаим, не расстраивайся, это соловей.

– Да, но для русских они хотя бы поют.

♦

Старый Абрам жалуется доктору, что плохо слышит левым ухом.

После осмотра доктор говорит:

– Ничего не могу поделать. Это старость.

– А что, мое левое ухо старше правого?

♦

Одному арабскому нефтяному шейху срочно понадобилось переливание крови.

У шейха группа крови очень редкая, и нашли ее только у одного еврея. Тот согласился, сделали переливание, за что араб подарил еврею дом и машину.

Через год та же история – срочно нужна кровь. Еврей с радостью бежит в пункт по переливанию крови, после процедуры арабский шейх дарит еврею коробку печенья.

Еврей удивленно:

– Но прошлый раз вы подарили мне дом и машину!

Араб:

– А в тот раз во мне еще не текла еврейская кровь…

♦

Что делают люди, когда врач им говорит, что осталось жить две недели: американцы закрывают свой бизнес, французы без остановки занимаются любовью, русские все пропивают, а евреи идут к другому врачу.

♦

Телеведущий:

– Господин Голдберг, расскажите, как вы стали миллионером.

– Ну когда я впервые попал в Америку, у меня было десять центов. Я купил на них два яблока, вымыл и продал по десять центов каждое.

– А потом?

– Потом на эти деньги купил четыре яблока, вымыл и продал по десять центов каждое.

– А потом?

– А потом умер мой дядя и оставил мне в наследство миллион долларов.

♦

Доктор – пациенту:

– Что-то вы сегодня плохо выглядите.

– Ха, доктор, думаете вы большой красавец?

♦

– Рабинович, у вас есть разменять сто долларов?

– Нет, но спасибо за комплимент!

♦

Умирает старый еврей. У постели жена.

– Сара, я умираю. Скажи напоследок правду: ты всегда мне была верна, никогда не изменяла?

– Абрам... А ты точно чувствуешь, что тебе больше не встать? . .

♦

Еврей на рынке продает вареные яйца.

– Хаим, почем ты продаешь вареные яйца?

– По десять рублей.

– А покупаешь?

– По десять.

– Так зачем тебе все это надо?

– Во-первых, я при деле, а во-вторых, кушаю бульон.

♦

– Хаим, если бы у тебя был миллион долларов, что бы ты сделал?

– Ничего.

– Как ничего?

– А зачем?

♦

– Продаются ли у вас такие спички, чтоб головка была с другой стороны?

Ответ продавца нееврея:

– Таких не держим.

Ответ еврейского продавца:

– Сейчас посмотрю. На верхней полке завалялась, кажется, одна коробка.

♦

Еврей набирает номер цирка, но попадает в ЦИК:

– Але, это цигк?

– Да, это ЦИК.

– А какие сегодня будут хохмочки?

– Адрес?

Сказал адрес. Приехал «черный ворон», и еврея забрали в НКВД. Отсидел немало и вернулся домой. Вновь набирает номер цирка, но попадает опять в ЦИК:

– Але, это цигк?
– ЦИК на проводе.
– А будут сегодня хохмочки?
– Ваш адрес?
– Нет, эту хохмочку я уже знаю!

♦

Двое улетают в Израиль. Пока они сидят в аэропорту, по громкой связи объявляют, что улетают члены Политбюро, потом – члены правительства, потом КГБ, МВД.

– Хаим, если они все улетают, может быть, нам остаться?

♦

В купе вагона старик Рабинович издал неприличный звук. Дама, сидящая напротив, возмущенно воскликнула:

– Это неслыханно! Со мной еще никогда такого не случалось!

– Вот оно что, так это с вами случилось? А я-то поначалу подумал, что со мной! Совсем уже ничего не соображаю…

♦

Додик – Менделю:

– Рабинович просит у меня денег. Не знаю, стоит ли ему давать.

– Обязательно дай.
– Почему «обязательно»?
– Иначе он попросит у меня.

♦

Еврея вызвали в КГБ, дали ему глобус и сказали:
– Выбирай себе страну и сматывайся!
Тот долго рассматривал страны на шарике, а потом спросил:
– А у вас нет другого глобуса?

♦

– Рабинович, как вы посмели, заполняя анкету, в графе «иждивенцы» написать: «государство»?!

♦

– Рабинович, а почему вы еще не уехали в Израиль?
– А что там делать? Мне и здесь плохо!

♦

Рабинович, вам сколько лет?
– Сорок.
– А по паспорту пятьдесят!

– Так я же десять лет сидел!
– Так что, вы там не жили?
– Чтоб ты так жил!

♦

Игры доброй воли. Награждение победителей по метанию молота.

С трибуны вскакивает Рабинович и бросает молот за пределы стадиона. На пресс-конференции:

– Как вам удалось достичь таких результатов?

– Дайте мне серп – я его еще дальше заброшу!

♦

Одесский дворик. Мужики забивают в «козла». Крик со второго этажа:

– Изя, принеси маме кефир!!!

– Ой, мама, отстаньте, мне некогда, я занят.

– Не, вы только посмотрите на этого шлепера, как Саре с третьего этажа принести триппер, он тут как тут, а как маме кефиру, то он занят.

♦

Рабинович звонит в КГБ:

– К вам мой попугай не залетал?

– На другом конце матерятся.

– Простите, я только хотел сказать, на случай, если вы его поймаете: я его политических взглядов не разделяю!

♦

Рабиновича пустили в туристическую поездку по странам народной демократии. Он присылает телеграммы:

«Привет из свободной Болгарии. Рабинович».

«Привет из свободной Румынии. Рабинович».

«Привет из свободной Венгрии. Рабинович».

«Привет из Австрии. Свободный Рабинович».

♦

Рабинович удивительно похож на Ленина. Вызывают его в органы и предлагают как-то изменить свою внешность, а то неудобно получается.

Рабинович, хитро прищурившись:

– Ну, допустим, батенька мой, богоденку я сбгею. А идейки куда девать пгикажете?

♦

Рабинович идет по улице и жужжит:

– Ж-ж-ж-ж…

– Что это вы такое делаете? – спрашивают его.

– Заглушаю в себе «Голос Америки».

♦

Говорят, у вас в Одессе выпустили какого-то Драйзера?

– Э! У нас теперь многих выпускают.

♦

Рабинович подал заявление на выезд. С работы его уволили, а визы не дают. Жить не на что. Тут приезжает в Одессу цирк. Гвоздь программы – дрессировщик сует голову в пасть тигру-людоеду. Затем он предлагает сделать то же самое желающим из публики – за десять тысяч. Рабинович выходит и, весь дрожа, сует голову в пасть. Потом вынимает ее из пасти, целый и невредимый. С удивлением смотрит на тигра и слышит тигриный шепот:

– Не думайте, будто вы единственный еврей-отказник в этой стране!

♦

– Рабинович, вы слышали? Изя серьезно заболел!

– Интересно, зачем это ему понадобилось?

Еврея вызывают в КГБ.

– У вас есть родственники за границей?

– Что вы!

– Нет, теперь перестройка, все должны признаться – это даже очень хорошо. Так есть?

– Конечно есть. Брат Хаим в Америке.

– А вы ему когда-нибудь писали?

– Нет.

– Так пишите прямо сейчас.

Еврей пишет: «Дорогой Хаим, наконец я нашел время и место тебе написать…»

♦

– Рабинович, как вы думаете, будет ли «пятый пункт» при коммунизме?

– Нет. Будет шестой: «Был ли евреем при социализме».

♦

Тысяча девятьсот тридцать седьмой год. Ночь. Стук в дверь.

– Что вам нужно?

– Поговорить.

– А сколько вас?

– Двое.

– Так стойте и разговаривайте.

♦

Рабиновича назначили агитатором на выборах, и он ходит от одних дверей к другим:

– Извините, меня просили вам передать, что советская власть – самая лучшая в мире. Извините за беспокойство, до свидания.

♦

Недавно в Книгу рекордов Гиннесса был внесен рекорд российского еврея С.М. Рабиновича, который затаил дыхание более чем на семьдесят пять лет.

♦

– Рабинович, вы член партии?
– Нет, я ее мозг.

♦

Начало семидесятых. Лектор объясняет аудитории, почему нельзя ехать в Израиль. Один еврей между тем все время качает головой то влево, то вправо.

– Уважаемый, что это вы все время качаете головой в разные стороны? – не выдержал лектор.

– Видите ли, когда вы говорили, что там все дорого, я подумал: там дорого – здесь дорого. Когда вы сказали, что там жить плохо, я подумал: там плохо – здесь плохо. Когда вы сказали, что там то сильный дождь, то жаркое солнце, я подумал: брать зонтик – не брать зонтик.

♦

Тысяча девятьсот тридцать седьмой год. Один еврей спрашивает другого:

– Как живете?

– Как в автобусе.

– ?

– Одни сидят, другие трясутся.

♦

Двух евреев, одного со сроком десять лет, а другого – пятнадцать, поместили в одну камеру. Тот, кому дали пятнадцать, говорит:

– Хаим, ложись ближе к двери. Тебе раньше выходить.

♦

Армия. На пост заступают трое – русский, татарин и еврей. Приказ строгий: водку не пить, в карты не играть, не безобразничать. Стоят они на посту, делать нечего. Один говорит:

– Может, хоть в картишки сыграем?

– Давай!

Играют, в азарт вошли, а тут, как назло, главком:

– Ну что, в картишки режемся?!

– Никак нет!

– Ну вот ты, скажем, русский?

– Так точно!

– Православный?

– Так точно!

– Так клянись на Библии, что в карты не играл.

– Ну клянусь.

– Так, ты узбек?

– Ну!

– Мусульманин?

– Ага.

– Ну-ка клянись на Коране, что в карты не играл.

– Клянусь.

– А ты еврей?

– Ну да.

– Ну-ка клянись Торой, что в карты не играл.

– Ну что я вам, спрашивается, буду клясться? Тот не играл, этот не играл, а я что, сам с собой играл, что ли?

♦

Беседуют два приятеля – раввин и патер.

– Скажите, ребе, только честно, вот вы ведь когда-нибудь все-таки ели свинину?

– Сказать вам честно, как духовное лицо – духовному лицу?

– Да, ответьте честно.

– Ну что ж, когда я был молод и глуп, я однажды съел кусок свинины.

– И как, ведь нормальная еда, ребе?

– Да, ничего страшного. Но скажите мне, патер, только честно, как духовное лицо – духовному лицу: вы когда-нибудь спали с женщиной?

– Откровенность за откровенность: когда я был молод и невоздержан, я однажды переспал с женщиной.

– Ну и как? Признайтесь, патер: это лучше, чем свинина.

♦

Еврей пишет письмо за границу своим родственникам: «У нас тут все хорошо. Вот купил курицу на базаре за пятнадцать рублей».

Письмо распечатали где надо, вызвали еврея в органы и ругают: «Зачем вы пишите, что у нас такие дорогие продукты?!»

Он снова пишет: «Вы знаете у нас тут все хорошо. Пошел на базар, а там слон продается за десять рублей. Так фиг с ним, со слоном, я доплатил еще пять и купил курицу».

♦

Абрамзон повесил на своем балконе плакат: «Спасибо товарищу Сталину за мое счастливое детство!»

– Послушай, Арон Моисеевич, – говорит сосед, – ведь во время твоего детства Сталин еще не родился!

– Вот за это ему и спасибо!

♦

У еврея спросили:

– Что такое счастье?

– Счастье – это жить в этой стране.

– А что такое несчастье?

– Несчастье – это иметь такое счастье.

♦

Зашел один еврей в кошерный ресторан в Нью-Йорке. Его обслуживает официант-китаец, прекрасно говорящий на идиш.

– Скажи мне: как ты нашел официанта-китайца, говорящего на идиш? – спрашивает еврей хозяина ресторана.

– Тихо, – оглядывается хозяин, – он думает, что это английский.

♦

Пограничник-кореец уходил в дозор с овчаркой и всегда возвращался без нее. А собаки все ученые, дрессированные. Начальству стало жаль собак (кореец их съедал), и оно пригласило гипнотизера. Тот стал внушать корейцу:

– Ты не кореец – ты еврей, ты не кореец – ты еврей…

А тот опять возвращается без овчарки. Тогда решили посмотреть, в чем же дело. Смотрят: сидит кореец, гладит овчарку и говорит:

– Ты не овчарка – ты фаршированная рыба.

♦

Два еврея полетели на космическом корабле. Один из них вышел в открытый космос, поработал там и постучался в люк корабля. Изнутри послышалось:

– Шура, это вы?

♦

Едут в одном купе еврей и помещик.

– Скажи-ка, – спрашивает помещик, – почему вы, евреи, так оборотисты?

– Потому что мы едим рыбьи головы, а в них много фосфора, а фосфор полезен для мозга.

– Тогда продай мне селедки, которые ты везешь с собой.

– Не могу, это мой ужин.

– Даю рубль за штуку.

– Ладно.

Купил помещик пять селедок, съел селедочные головы и на ближайшей станции вышел выпить пива. Вернувшись в купе, говорит:

– Ну и дурак же я – в буфете селедки идут по пяти копеек, а я у тебя купил по рублю!

– Вот видите, – отвечает еврей, – уже начинает действовать!

♦

Трое собираются эмигрировать во Францию и думают, какие им там взять имена.

– Вот я был Лейба, а буду Луи, – говорит один.

– А я был Гирш, а стану Гюи, – говорит второй.

– А я, пожалуй, во Францию не поеду, – сказал Хаим.

♦

В соседних домах жили поп и раввин. «Ну что, – однажды сказали они друг другу, – мы в общем-то делаем одно дело, служим людям, помогаем им стать лучше. Давай снесем забор между нашими домами, будем жить в одном пространстве».

Снесли. Посадили общий сад. Сделали общую калитку. Потом купили общую машину.

И вот в ночь после покупки поп подумал: «Дай-ка я все-таки пойду окроплю машину святой водой». Встал с постели и пошел кропить. Смотрит – а у машины кончик выхлопной трубы обрезан.

♦

Рассказывают про одного атеиста, который вошел в синагогу, чтобы заявить, что он не видит смысла в хранении свитков Торы, в запретах делать то и это, да и вообще в соблюдении давно устаревших обрядов.

– Если я не прав, пусть Бог докажет мне мою неправоту.

И тут голос свыше торжественно промолвил:

– Ты прав.

♦

Моня, я обратил внимание, что в последнее время ты предпочитаешь посещать нудистский пляж. С чего бы так?

– Ты знаешь, Изя, это единственное место в нашем городе, где можно на шару и себя показать, и на других посмотреть.

♦

Приходит как-то к раввину грустный еврей и говорит:

– Ребе! Я такой бедный, такой бедный!!! У меня даже молока нет...

Раввин:

– Все, сын мой, ничего больше не говори! Иди домой – все будет.

Через пару дней прибегает к раввину все тот же еврей и кричит:

– Ребе! У меня выросла женская грудь и в ней даже появилось молоко, но ведь я тебя не об этом просил!!!

Раввин:

– Что поделаешь, сын мой! Мы такой народ – нам проще сотворить чудо, чем дать денег!

♦

В поезде на полке лежит полная пожилая еврейка и стонет:

– Как я хочу пи-ить, как я хочу пи-ить…

И так полчаса.

Парню, который также ехал в том же купе, надоело ее слушать, и он принес воды. Еврейка попила и стала стонать:

– Как я хотела пи-ить, как я хотела пи-ить…

♦

Ведут грешницу, чтобы забить ее камнями.

– Пусть тот первый бросит камень, кто никогда не грешил! – воскликнул Христос.

Только Дева Мария не выпустила камня из рук.

– Мама, да оставьте вы эту историю с непорочным зачатием.

♦

Как-то к Моисею, который думал, как вывести свой народ из Египта, подошел человек и сказал:

– Мойша, давай сделаем так: ты подведешь народ к Красному морю, оно раздвинется, вы пройдете, а потом его воды сомкнутся.

– Очень рискованно. А что я с этого буду иметь?

– Много не обещаю, но публикацию в Ветхом Завете гарантирую.

♦

Набожный еврей все время молился. Но вот случилось сильное наводнение, и он перебрался на крышу дома, чтобы продолжать молиться. Вода между тем прибывала. На лодке подъехали спасатели и предложили еврею спастись, но он отказался и продолжал молиться: «Бог меня спасет!» Через некоторое время к дому пригнали плот, чтобы еврей наконец спасся. Но он продолжал молиться, утверждая, что его спасет Бог. Последнее, что видел еврей, – это вертолет, сбросивший ему веревочную лестницу. Молясь, он отверг и эту помощь, восклицая: «Бог меня спасет!»

Еврей утонул. Представ перед Богом, он спросил, почему тот его не спас.

Бог ответил: «Дурак ты старый, я три раза за тобой посылал!»

♦

Моня всю жизнь хотел поговорить с Богоматерью. Вот он умер, попал в рай и увидел там наконец Божью Матерь.

– Я все время хотел спросить: почему у вас всегда такое грустное лицо?

– Моня, если бы ты знал, как мы хотели девочку…

♦

Бедный еврей пришел к ребе.

– Ребе, мне нечего кушать, дай мне работу.

– Хорошо, иди ко мне писарем.

– Но я не умею писать.

– Ну тогда у меня есть два доллара – так на тебе один.

Еврей взял доллар, купил на него пачку сигарет, продал за два – купил четыре, продал четыре – купил восемь, потом ларек, потом магазин, потом пароход, потом самолет, потом рудник в Намибии. Став мультимиллионером, он проходил как-то по Сорок седьмой авеню и увидел в витрине бриллиантовое колье для своей женщины.

– Сколько оно стоит? – спросил он у продавца.

– Три миллиона долларов.

– Хорошо, – сказал еврей и стал отсчитывать три миллиона по сто баксов.

Продавец удивился:

– Вы могли бы выписать чек!

– Но я не умею писать.

– Как это может быть?

– Если бы я умел писать, то был бы писарем в синагоге.

♦

Начинающий толкователь Талмуда явился к своему учителю с шедевром – собственным толкованием Мишны – основополагающей части Талмуда.

– Лучше б вы вообще перестали писать, – сказал ему учитель. – Это вас никуда не приведет.

– А если я перестану писать, – спросил толкователь, – это приведет меня куда-нибудь?

♦

Как-то хасид Нюма решил жениться. Он пришел к своей невесте и сказал о своих намерениях.

– Все в тебе хорошо, Нюма, – сказала невеста. – Только смени костюм, оденься цивильно и сбрей пейсы.

Нюма так и сделал. Пришел к невесте в новом смокинге и стриженный у лучшего парикмахера.

Невеста сказала:

– Вот теперь хорошо.

Тогда Нюма пошел через дорогу в синагогу договориться о свадебном наряде. И на середине пути его сбила машина.

Нюма предстал перед Богом и спросил его:

– Господи, я соблюдал субботу и все обычаи, не ел трефного, молился и славил тебя каждый день.

За что же ты покарал меня в такой счастливый день?!

– Нюма, так это был ты? А я тебя не узнал…

♦

Умирает ребе. Один за другим у одра выстроились его ученики. Первый ученик склонился над ребе и спрашивает:

– Ребе, так что же такое жизнь?

– Жизнь как бочка, – многозначительно отвечает ребе.

Первый ученик передает второму:

– Жизнь как бочка.

Второй третьему:

– Жизнь как бочка.

Третий четвертому:

– Жизнь как бочка.

И так по цепочке. Наконец слова доходят до мальчишки, безразлично ковыряющего в носу.

– А почему как бочка? – удивленно спрашивает мальчишка.

– А почему как бочка? – отсылает вопрос дальше последний ученик.

– А почему как бочка? – передается вопрос к впереди стоящим.

Вопрос доходит до первого ученика, и тот спрашивает ребе:

– Ребе, а почему как бочка?

– Ну так НЕ как бочка…

♦

Рядовой Рабинович, проходя мимо старшего офицера, не отдает тому честь.

– Почему вы меня не поприветствовали?

– Вы ждали от кого-то привета?

– Вы что, не видели, какие звезды у меня на погонах?

– А разве я астроном?

– Вы знаете, что вам за это будет?!

– А разве я пророк?

♦

Еврей спрашивает у раввина:

– Ребе, а во время поста еврей может спать со своей женой?

– Да.
– А с чужой?
– Нет.
– Почему?
– В Торе ясно сказано, что во время поста еврей не должен получать удовольствия.

♦

– Ребе, что такое альтернатива?
– Это когда у тебя есть куриные яйца и ты можешь делать с ними все что захочешь: можешь сварить, можешь сделать омлет, а можешь их высидеть – тогда у тебя будут цыплята, затем куры, которые потом будут давать яйца, из них цыплята, потом опять яйца, потом ударит гром, молния и все пропадет.
– Так в чем же альтернатива?
– Утки.

♦

Еврей в отчаянии приходит к ребе.
– Ребе, у меня жена, десять детей, есть нечего. Что делать?
– Совсем есть нечего?
– Совсем. Только есть два петушка – черный и белый.
– Так зарежь одного из них и накорми детей.

– Знаешь, ребе, эти петушки уже десять лет живут вместе. Если белого зарезать – черный обидится, если черного зарезать – белый умрет от тоски.

– Я буду всю ночь думать, – сказал ребе, – приходи утром.

Утром еврей приходит опять и повторяет всю историю сначала.

– Что делать, ребе?

– Надо резать одного из петушков.

– Но какого? Если белого зарезать – черный умрет от тоски, если черного – белый.

– Надо резать черного, – категорически заявил ребе.

– Но тогда от тоски умрет белый!

– Ну и фиг с ним.

♦

В гостях:

– Скажите, у вас есть чай?

– Нет.

– А кофе?

– Есть чай.

♦

В местечке построили баню. Один еврей приходит к ребе и говорит:

– Ребе, надо красить пол в бане, иначе еврей может занозить себе ногу.

– Вы правы.

Тогда другой еврей говорит:

– Пол красить не надо, иначе еврей поскользнется, упадет и сломает себе голову.

– И вы правы, – отвечает ребе. Тогда третий говорит:

– Ребе, но так не может быть, чтобы этот был прав и этот был прав!

– И вы правы.

♦

Сын звонит своей матери:

– Ты знаешь, мама, я хочу жениться.

– Хорошо, сынок.

– Да, но она русская.

– Хорошо, сынок.

– Да, но у нас нет денег, и мы хотим взять у вас с отцом ваши сбережения.

– Хорошо, сынок.

– Да, но нам негде жить, и мы хотим поселиться в вашей комнате.

– Хорошо, сынок.

– Да, но что ты тогда будешь делать?

– Вот положу трубку и умру.

♦

Недавно крестившийся купец Кон выдает дочь за сына крещеного еврея, банкира Розенблюма.

– Я всегда мечтал о таком зяте, – говорит Кон друзьям. – Симпатичный христианский юноша из хорошей еврейской семьи.

♦

– Это твой родной брат? – спрашивает Додик Менделя.

– Да, но он мой дальний родственник.

– Как это может быть?

– Я родился первым, а он был в семье одиннадцатым.

♦

– Ты знаешь, моя жена так хорошо готовит и вышивает на пяльцах.

– Ха! Моя тоже не очень большая красавица.

♦

– Сара, ты помнишь, как мы опоздали на последний пароход в Стамбул и ты держала меня за руку?

– Да, я всегда держала тебя за руку.

– Ты помнишь, как закончился НЭП, меня посадили и ты держала меня за руку?

– Да, я всегда держала тебя за руку.

– Ты помнишь, как в тридцать седьмом мне дали пятьдесят восьмую и ты держала меня за руку?

– Да, я всегда держала тебя за руку
– Ты помнишь, как меня взяли, когда было «дело врачей», и ты держала меня за руку?
– Я всегда держала тебя за руку.
– Так, может быть, все неприятности у меня были оттого, что ты держала меня за руку?!

♦

– Мойше, скажите, вы с вашей Басей счастливы?
– А куда деваться?

♦

– Хая, смотри, какие у тебя кривые и волосатые ноги!
– А! Какая разница, на чем ходить на работу.

♦

– Правда ли, что ваша дочь выходит замуж?
– Да, постепенно.

♦

– Фима, ты нам больше не звони.
– Почему?
– После твоего визита у нас пропала серебряная ложка.

– Ты что, с ума сошел? Приди и обыщи меня и мой дом! У меня нет твоей ложки!

– Конечно нет, мы ее нашли.

– Так в чем же дело?

– Неприятный остался осадок.

♦

– Боря! Не бей так сильно Изю! Вспотеешь!

♦

– Мадам Трахтенберг, когда ваша Софочка думает выходить замуж?

– Всегда!

♦

Еврей Шломо лежит в госпитале при смерти. Его семья пригласила раввина быть с ними в этот тяжелый момент.

Когда раввин встал у кровати больного, состояние Шмуля явно ухудшилось, и он судорожными движениями руки показал, что хочет что-то написать. Раввин с любовью подал ему ручку и лист бумаги.

Шломо из последних сил нацарапал записку и умер. Раввин решил, что сейчас не время читать записку, свернул ее и положил в карман пиджака.

На похоронах, когда он заканчивал свой панегирик покойнику, раввин вспомнил, что на нем тот самый пиджак, в котором он был в момент смерти Шломо. Раввин сказал: «Знаете, Шломо дал мне записку прямо перед смертью. Я ее еще не прочел, но, зная Шломо, я уверен, что она содержит слова утешения для всех нас».

Он развернул записку и прочел: «Ребе, сойди с моей кислородной трубки!!!»

♦

Сара на смертном одре.

– Сруль, – обращается она к мужу, – я скоро умру. А ты, едва меня похоронишь, забудешь, какой я была тебе прекрасной и верной женой, и станешь ухлестывать за другими.

– Сара, – успокоил ее Сруль, – сперва умри, а потом мы поговорим.

♦

Встречаются два еврея, один другому говорит:

– Слыхал, вчера Абрам умер? Ты на похороны пойдешь?

– А что мне Абрам, я его и не знал толком, и не уважал. Вот если б ты умер – я бы обязательно пришел.

♦

– Алло, Хаим дома?
– Пока да!
– И я могу зайти?
– Только быстро – через час выносим.

♦

– Вы не знаете, кого хоронят?
– Какого-то Лейкина, артиста.
– Да-а-а? А разве он умер?
– Ну если только это не генеральная репетиция.

♦

Умерла у Абрама жена. Приходит он в газету – напечатать объявление. Заплатил по минимальному тарифу и дает текст: «Сара умерла».

Ему говорят:

– За минимальную цену вы можете дать четыре слова.

– Тогда добавьте: «Продам «Москвич».

♦

– Мойше, почем у тебя гробы?
– По пятнадцать.
– Ха, у Рабиновича по двадцать, так там хоть есть где развернуться!

♦

Умирает старый еврей. К нему приходит сосед и говорит:

– Вот ты, такой-сякой, так плохо прожил свою жизнь, что тебе перед смертью никто даже стакан воды не нальет.

– Вот умираю, а пить все не хочется.

♦

– От чего умер Рабинович?

– От гриппа.

– Ну грипп – это ерунда.

♦

– Скажите, как Рабинович?

– Он умер.

– Умер-шмумер. Главное, чтобы был здоров.

♦

Надпись на надгробной плите: «Сара, теперь ты поняла, что я действительно болел?»

♦

Еврей прилетает в Израиль. Его встречает многочисленная родня. Он растроган и говорит:

– Наконец я приехал в Израиль и смогу умереть на родной земле!
– Ну...

♦

Прощаются два еврея. Один другому говорит:
– Прощайте.
– Почему прощайте?
– Ну, видите ли, может быть, вы ослепнете, и вы меня не увидите или вы умрете, и я вас не увижу.

♦

– Как вы провели ночь?
– Ужасно. Жена все время кричала: «Нет, Абраша, нет!»
– Ну так что же вам плохо?
– Но я же Хаим!
– Так это же совсем хорошо. Вы же сами слышали, как она сказала ему «нет».

♦

– Вы знаете, у Хаима дочь проститутка.
– Но у него четыре сына и нет дочери.
– Я высказал свое мнение, а вы уже сами решайте.

♦

Еврею в публичном доме досталась толстая пожилая еврейка.

Делать нечего, как-то пристроился. Вдруг слышит – она аж всхрапывает! Еврей тормошит партнершу:

– Эй, мадам, за что я плачу деньги?

– Ох! Не волнуйтесь! Я все слышу!

♦

У Хаима родился двенадцатый ребенок.

– Хаим, ты что, так любишь детей?

– Нет, процесс.

♦

Встречаются Бетя и Сара. Сара спрашивает:

– Слушай, Бетя, ты выглядишь на миллион долларов! В чем твой секрет?

– Ой, ты знаешь, – отвечает Бетя, – в прошлый понедельник красивый молодой человек постучал в мою дверь и спросил: «Ваш муж Моня дома?» И когда я ответила, что мужа нет, он схватил меня на руки, понес наверх, в спальню, положил на кровать и мы занимались любовью три часа.

Вторник, стук в дверь. Тот же молодой человек. Спрашивает: «Моня дома?» И, когда я ответила, что Мони нет, хватает меня на руки, тащит наверх, в спальню, кладет на кровать и мы занимались любовью четыре часа.

Вчера – то же самое. Стук в дверь. «Моня дома?» Я отвечаю: «Нет». Он хватает меня на руки, тащит наверх, и мы вместе пять часов!!! Только одно беспокоит меня во всем этом, – жалуется Бетя.

– И что это? – спрашивает Сара.

– Что он хочет от моего Мони?

♦

– Ребе, мой муж изменяет мне с Сарой. Что делать?

– Когда он спит, отрежь кусочек пейсов: половину спрячь у него под подушкой, половину брось ей под подол.

– Что, поможет?

– Не повредит.

– Абрам, там сбоку дома на досках насилуют вашу жену!

– На досках справа или слева от дома?

– Справа.

– Так успокойтеся, то не мои доски.

♦

– Хаим, ты знаешь, я без конца болею.

– Без конца я бы тоже болел.

♦

Погром. Еврей говорит жене:

– Сарочка, спрячься куда-нибудь, а то изнасилуют.

– Нет уж, погром – так погром.

♦

– Хаим, твоя жена француженка?

– Да нет, какой-то хулиган научил.

♦

От одного старого еврея каждый день выбегают очень довольные молодые особы. Приятель спрашивает его, как это ему удается.

– Ты знаешь, в Первую мировую меня контузило.

– Так что?

– Ты знаешь, так удачно попало.

♦

Муж и жена насмотрелись эротического кино.

– Сара, а почему ты не кричишь в постели? Давай ты будешь кричать.

– Ну хорошо.

Легли.

Сара:

– Уже кричать?

– Нет, еще подожди.

– Ну а теперь?

– Еще рано.

– А сейчас?

– Давай кричи!

– Ой, у мене нету денег! Ой, у мене дети не кормлены!

♦

– Сарочка, говорят, вы обладаете даром соблазнять мужчин.

– Даром?

♦

На пляже к девушке подходит молодой человек:

– Девушка, вы прекрасны! Я вас хочу!

– Ой, ну что вы! Я стесняюсь!

– Да? Ну, извините! – поворачивается и уходит. Девушка кричит ему вслед:

– Ой-ой-ой! Он так хочет, как я стесняюсь!

♦

Сара говорит Двойре:

– Ты знаешь, мой муж импотент.

– А мой трижды импотент.

– Почему?

– Он вчера прикручивал лампочку – так упал со стула, сломал палец и прикусил язык.

♦

Жил царь. И как-то ему стало грустно, аж плохо. Пытались его развеселить тридцать комедиантов, да никак. Наконец пришел еврей с ведром воды и стал ставить себе клизму. Царь заинтересовался. На другой день – снова. А на третий царь рассмеялся.

Так и повелось: когда царям плохо, клизму делают евреям.

♦

– Будьте любезны, попросите к телефону Рабиновича.

– Вам какого, старшего или младшего?

– Старшего.

– Их обоих нет.

♦

Две одесситки ругаются.

– Ах ты, старая курва!

Вторая, с обидой:

– При чем тут возраст?

♦

Мойше рассказывает друзьям ночное происшествие:

– Ворвались, все обыскали, все разбили и забрали! Вы думаете это все?

Нет! Трахнули меня, жену, тестя и кошку! Вы думаете это все?

Нет!!! Они сказали, что завтра еще придут. Вы думаете, что теперь все?

НЕТ!!! Когда уходили, один меня пнул и говорит: «У, бандюга!» Нет, вы подумайте, это я-то бандюга! Мы с женой так смеялись, так смеялись...

♦

По улице идут двое хулиганов. Один говорит:

– Васек, ты посмотри, какой жид идет. Глазки маленькие, носище здоровый, волосики курчавые… Давай ему в глаз дадим?

– Опасно, Серега. Видишь, какой он здоровый? Еще нам может врезать.

– А нам-то за что?

♦

Надпись на могильной плите: «Спи спокойно, Хаим, – факты не подтвердились».

♦

Отец-портной говорит сыну:

– Моня, у меня к тебе мужской разговор. Когда ты окончил школу и захотел учиться наукам, я послал тебя в Кембридж. Ты закончил первую ступень и поступил в Оксфорд. Потом тебя взяли в Гарвард, где ты блестяще защитил диссертацию. Все это хорошо, но ты уже вырос, сынок, и пора определиться в этой жизни. Так ты хочешь стать дамским портным или мужским?

♦

– Чего больше всего боится Брежнев?

– Что китайцы научатся воевать, как евреи, а евреи размножатся, как китайцы.

♦

Три еврея из разных городов встретились в поезде. Каждый начинает хвалить своего раввина:

– Однажды, – говорит один, – гостил в нашем городе Тосканини. Все ждали начала концерта, но оркестр молчал. И вот наш ребе вошел в зал, Тосканини поклонился ему, поднял палочку и начал концерт.

– Когда короновали английского короля, – завел рассказ второй, – наш ребе был в Лондоне. Все были в сборе, епископ держал корону, но не начинал коронацию. Когда его спросили, из-за чего задержка, он ответил, что ждет нашего ребе и без него не может возложить корону.

– Это все ерунда, – говорит третий. – Недавно наш ребе был в Риме. Когда он вместе с папой вышел на площадь святого Петра, мимо проезжал итальянский король. Король поклонился ребе и спросил у адъютанта: «А кто этот такой стоит возле ребе из Бердичева?»

♦

1972 год. Ввели плату за высшее образование для выезжающих в Израиль. Рабинович комментирует:

– Раньше жиды продавали Россию, теперь Россия продает жидов.

♦

Приходит Рабинович к доктору и говорит:

– Доктор, у меня в ушах постоянно какой-то звон.

Доктор посмотрел и сказал:

– Любезный, так у вас там два пятака! Что ж вы раньше-то не пришли?

– Раньше деньги не нужны были.

♦

В школе:

– Файнштейн, Буберман и Иванов по матери! Завтра на занятия не приходите – будет арабская делегация.

♦

Допрашивают Рабиновича.

Рабинович:

– Если я сказал, що не брал, значить, не отдам.

♦

В Санкт-Петербурге осталась одна еврейка – Аврора Крейсер.

♦

Оратор на митинге:

– Дважды два – восемь! Бурные аплодисменты. Рабинович:

– А разве не четыре?

После этого Рабинович исчезает на двадцать лет. Вернувшись из отдаленных мест, опять попадает на митинг. Оратор:

– Дважды два – шесть! Бурные аплодисменты. Рабинович:

– А разве не четыре? После митинга к нему подходит оратор, доверительно обнимает его, шепчет:

– Неужели вам хочется, чтобы дважды два снова было восемь?

♦

Туристы из Израиля осматривают Одессу.

– Смотри, ни одного еврея!

– Смотри, а вот этот? Простите, вы, случаем, не еврей?

– Нет, я идиет.

♦

Рабинович на званом обеде у Барака Обамы.

Клинтон хвастается:

– Один из моих предков, кстати, подписал Декларацию независимости.

– Шо вы говорите! А один из моих предков подписал десять заповедей.

♦

– Рабинович, вы куда идете и что у вас в мешке?

– Грязная туалетная бумага.

– Куда же вы ее несете?

– В химчистку.

♦

Старика Рабиновича уважали не за камни в почках, а за бриллианты в желудке.

♦

– Нет ну вы подумайте: Рабинович купил персидский ковер!

– И шо?

– Так он теперь всех, кто к нему приходит, заставляет обувь снимать.

– Это понятно: ковер-то новый.

– Да, но висит-то он на стене.

♦

– Рабинович, что заставило вас жениться на дочере банкира Голдберга, ведь она такая страшная – любовь или деньги?

– Любовь к деньгам.

♦

Рабинович читает в кровати книгу.

При этом часто включает и выключает свет.

Жена, спящая рядом спрашивает его:

– Мойше, шо ты делаешь?

– Переворачивать страницы можно и в темноте, Циля.

♦

Рабинович звонит в газету и возмущается:

– Если вы не прекратите печатать анекдоты про скупых евреев, то я перестану брать взаймы газету у моего соседа.

♦

Были два друга: Ваня Иванов и Мойша Рабинович.

Жили в одном доме, в одном подъезде, в школу вместе пошли, в одно время закончили.

Ваню скоро в армию призвали, а Мойша по зрению откосил.

Через два года Ваня идет домой.

Видит – новенький «Мерседес».

Он подходит, трогает его, завидует.

Тут выходит из дома Мойша.

Ваня радостно кричит:

– Мойша! Здорово! Это твой «Мерседес»?

– Да, мой. Только ты, Ваня, не завидуй! Ты вон на танке два года катался, я же не завидую.

♦

Оформляя документы для получения паспорта, Рабинович написал в графе «национальность»: «иудей». Когда пришел получать паспорт, обнаружил запись – «индей».

Со скандалом дошел до начальницы паспортного стола, мол, я имел в виду нечто совершенно иное...

– Хорошо, зайдите через две недели, попробуем как-то решить ваш вопрос... Через две недели ему вручили паспорт с записью: «национальность» – индейСКИЙ ЕВРЕЙ.

♦

Рабинович идет ночью в туалет.

Спотыкается о мешок с горохом.

Идет дальше, спотыкается о мешок с картофелем.

Идет дальше, спотыкается о мешок яблок.

Идет дальше, спотыкается о коробки с тушенкой.

– Черт! Когда же уж этот голод закончится!

♦

В сандуновских банях:

– Моисей Соломонович, одно из двух: или снимите крест, или наденьте трусы!

♦

На вопрос анкеты, колебались ли вы в проведении линии партии, Рабинович ответил: «Колебался вместе с линией».

♦

Рабинович работает в Кремле – он сидит на Спасской башне и смотрит вдаль, чтобы своевременно сигнализировать о приближении коммунизма. Его пытаются переманить американцы – пусть предупреждает о приближении экономических кризисов.

– Нет, – говорит Рабинович, – мне нужна постоянная работа.

♦

– Тетя Сара, тетя Сара! Ваша Эллочка бильярдные шарики глотает!

– Эллочка, дитя мое! Ты же весь унитаз разбомбишь!

♦

Двум кандидатам на вакантное место – Иванову и Рабиновичу – была предложена письменная работа. По ее результатам приняли Рабиновича. Иванов пришел со скандалом к директору:

– Я представитель коренного населения, я брал Берлин, у меня брат в органах, а вы взяли какого-то без роду и племени...

– Товарищ Иванов, успокойтесь. Давайте вместе посмотрим ваши письменные работы и выясним, в чем дело.

Первый вопрос был: «Назовите слово из трех букв, которое дети пишут на заборах, которое так берегут мужчины и так любят женщины». Совершенно верно ответил товарищ Рабинович: «мир». А вы что написали?..

Второй вопрос: «Какой главный орган советской женщины?» Товарищ Рабинович ответил правильно: «журнал «Работница». А вы что написали?...

И наконец, третий вопрос: «Где у женщины самые курчавые волосы?»

Товарищ Рабинович ответил совершенно правильно: «В Африке». А вы что написали?..

♦

Рабинович смотрит в зеркало:

– Один из нас определенно стукач!

♦

На политзанятиях Рабинович задает вопрос:

– Вот вы говорите, что все так хорошо, а куда девалось масло?

– Я подумаю и отвечу в следующий раз, – говорит руководитель.

В следующий раз поднимает руку другой.

– Вы, вероятно, хотите спросить, куда девалось масло? – обращается к нему руководитель.

– Нет, я хочу спросить, куда девался Рабинович?

♦

К директору Одесского оперного театра приходит посетитель и предлагает:
– Я за двести долларов могу делать массаж всем вашим балеринам.
– Уже договорились! Деньги при вас?

♦

В Одесском порту капитан корабля кричит:
– Боря, ты там внизу?
– Да.
– И что ты там делаешь?
– Ничего.
– А Рома с тобой?
– Да.
– И что он делает?
– Он мне помогает.

♦

Приезжий в Одессе заходит в магазин. Обращается к продавцу:
– Товарищ, у вас есть лезвия для бритья?
– Нет!

– Почему ты ему сказал «Нет»? – удивляется другой продавец, – у нас же полно лезвий!

– Раз он назвал меня товарищем, пусть бреется серпом!

♦

На Привозе приезжая девушка спрашивает местную даму:

– Вы цыганка?

– Нет, я одесситка!

– Надо же, такая черная... А вы гадать умеете?

– В Одессе все умеют гадать!

– Погадайте мне, – протягивает руку.

– У вас, красавица, большое горе... Очень большое. Вы неожиданно потеряли мужа или любовника...

– Но я еще девушка, – смущается приезжая.

– Ну, значит, это был кошелек.

♦

Из разговора на Привозе:

– Кофе – черная смерть, мясо – жирная смерть, сахар – белая смерть. Кругом одна смерть. Говорят, что полезно только голодание!

– Ну вот, Сема, и после этого вы еще будете утверждать, что в нашей стране не заботятся о людях!

♦

В центре Одессы старый еврей торгует газировкой. Жара. Очередь:

– Мне, пожалуйста, стакан газировки.

– Вам с клубничным или вишневым сиропом?

– Без сиропа!

– Без какого?

♦

При въезде в Одессу инспектор ГАИ останавливает «Жигули»:

– Водитель, почему у вас не горят задние фонари?

Перепуганный водитель выскакивает из машины и хватается за сердце.

– Да не волнуйтесь вы так, – успокаивает его инспектор, – это же ерунда, дело поправимое!

– Хорошенькое дело! Пустяк? А где мой прицепной фургон? Где мои дети? Где жена и теща?

♦

Две соседки в одесском дворике:

– Софа, как жизнь?

– И не спрашивай! Что-то последнее время сердце стало пошаливать, давление поднялось, ноги устают...

– Что ты говоришь? А я сама видела, как от тебя разные мужики выходят.

– Ой, не говори! Одно место здоровое, и то все завидуют!

♦

В одесском трамвае:

– Куда прешь, интеллигент? Еще очки нацепил!

– Откуда вы знаете, что я интеллигент? Может, я такой же хам, как вы?

♦

В Одессе на Дерибасовской встречаются две еврейки, и одна другой говорит:

– Сарочка, ты ничэго не замечаешь?

– А что я должна замечать?

– Я только что била у косметолога, и он мине посоветовал ходить без лифчика…

– Так ты же когда без лифчика ходишь, у тебе морщины на лице разглаживаются.

♦

Одесса. Стоянка такси. В одну из автомашин заглядывает еврей:

– Скажите, сколько стоит доехать до Дерибасовской?

Таксист:

– Пять рублей.

– А если я поеду с Мойше?

– А мне без разницы – с Мойше или без Мойше. Все равно пять рублей.

Еврей обрачивается и кричит человеку, стоящему неподалеку:

– Говорил я вам, Мойше, что вы ничего не стоите!

♦

– Ви едите фиш из ложкой или из вилкой?

– Ой, мине все равно, лишь бы да!

♦

– Вы мне будете рассказывать о родственниках!

Вот ко мне в прошлый четверг приехал мой любимый дядя Изя из Могилева, который в свои 96 лет ни разу не был в Одессе.

Скажу вам честно, что, когда он приехал, я понял, что я любил его именно за это.

И только мы выехали на дачу, как он спрашивает:

– Фимочка, скажи мне, это море?

– Да.

– А что здесь было до революции?..

♦

Одесса, рыбный ряд. Две женщины – одна торгует бычка, другая, соответственно, его продает.

Первая:

– А что, у вас бычок свежий, еще живой?

– Нет, он уже умер – философски, с достоинством.

– То-то я удивляюсь на цену – вы ему на похороны собираете?

♦

Пожилой еврей приехал из местечка в Одессу и долго наблюдает за регулировщиком на оживленном перекрестке.

Наконец не выдерживает и подходит:

– Я очень извиняюсь, с кем это вы все время разговариваете?

♦

Еврей стоит на Дерибасовской, в каждой руке по арбузу.

Подходит турист и спрашивает: «Извините, как пройти на Дерибасовскую?»

В ответ – «Подержите арбузы!», и, когда руки освободились, крик души: «Но ви же на ней стоите!!!», сопровождаемый жестикуляцией.

♦

Одна одесская еврейка средних лет – другой:
– Вот эта молодежь! Вчера приехал двоюродный племянник Боря из Житомира, я приготовила фаршированную щуку, собрала стол, они с моим Арончиком поели, выпили, а ты знаешь моего Арончика, он таки меры не знает! Ну и завалился спать. А Боря все ворочается, ворочается на диванчике, а потом робко так спрашивает:
– Тетя Циля, можно?
– Ну как можно, ведь тут Арончик.
А потом думаю, ведь он спит, как бревно, ну и отвечаю:
– Таки да, но только быстро...
И ты знаешь, что сделал этот потцмонтек? Он встал и... СОЖРАЛ ВСЮ ОСТАВШУЮСЯ РЫБУ!!!!

♦

Как-то, еще в дореволюционные времена, в одной из синагог Одессы шел молебен.
Перед одной из молитв половина молящихся встала, а другая половина осталась сидеть.
Те, что сидели, начали кричать вставшим, чтобы они сели, а стоящие требовали, чтобы сидящие встали...

Рэбэ не знал, что сказать, и решил обратиться за советом к старому Мойше, который был основателем этой синагоги.

Он пригласил с собой по одному представителю от «стоящих» и «сидящих», и они отправились выяснять, какой традиции следует придерживаться во время молебна.

«Стоящий» спросил старого Мойше:

– Стоять во время этой молитвы – это наша традиция?

– Нет, – ответил старый Мойше, – это не наша традиция.

«Сидящий»:

– Значит, сидеть во время этой молитвы – это наша традиция?

– Нет, – снова возразил старый Мойше, – это тоже не наша традиция.

Тут вмешался рэбе:

– Мойше, видите ли, молящиеся все время ругаются по поводу того, должны ли они сидеть или стоять во время этой молитвы...

Старый Мойше перебил его и сказал:

– Вот это и есть наша ТРАДИЦИЯ!!

♦

Объявление в больнице:

«В кабинете №72 можно сделать гигиеническое обрезание. Официальный спонсор и партнер – пельмени «Загадка».

♦

Глубокая ночь. Одесса. Он и она в постели. Приближается кульминация.

Она:

– О Боже!

Он:

– Шо? Хлеб забыла купить?!!

♦

Абраму нужно прописаться в Одессе. Для этого решили организовать фиктивный брак.

Мойша решил на время «уступить» ему Сару.

Но в паспортном столе заподозрили подлог и в качестве решающего аргумента предложили новобрачным лечь в постель.

Мойша дал согласие.

Но сам решил для контроля улечься под кроватью. И шепчет оттуда:

– Абрам, ты мимо, мимо...

– Нет, Мойша, во второй раз я власть обманывать не стану!

♦

Магазин одежды в Одессе. Приходит женщина с мальчиком:

– Хочу купить сыну костюм. Скажите, это из чего ваши костюмы?

– Мадам, это самая хорошая ткань. Это, мадам, настоящее английское сукно. Сносу нет.

– А оно не садится?

– Мадам, шо вы такое говорите? Вы знаете, что такое английское сукно?

Ваш мальчик будет такое носить до старости.

– Ну хорошо, покупаю.

Мальчик надевает новый костюм, они с мамой выходят на улицу.

Через пять минут начинается дождь, костюм моментально садится.

Рукава становятся до локтей, брюки – по коленку.

Мамаша, таща за руку сына, в гневе влетает обратно в магазин.

Навстречу им хозяин:

– Мальчик! Как же ты вырос!!

♦

Одесса. Пляж. Маленький мальчик ползет на четвереньках по песочку и подползает к подстилке, на которой сидит пожилая дородная одесситка. У нее на груди висит массивная золотая цепь.

Маленький мальчик, увидев яркую золотую игрушку, тянет к ней ручки.

Одесситка (возмущенно):

– Когда-нибудь он таки сделает на мене налет!

♦

Кредитный отдел:

– Мне нужен кредит.

– На какие цели?

– Я хочу открыть гей-клуб.

– А кто туда будет ходить?

– Пидры разные: Вася, Петя придет, те кто мне кнопки в лифте жгут постоянно, судьи футбольные придут...

– Извините, но мы вынуждены отказать вам в кредите.

– О, и вы приходите.

♦

Если бы спорт был действительно полезен, на каждом турнике висело бы по пять евреев.

♦

– Абраша, ты почему не носишь пейсы?

– Я их продал!

– Кому?

– Двум хохлам на чубы...

♦

Господь, когда не было у него еще на земле своего избранного народа, отправился поначалу к египтянам и сказал им:

– Египтяне, отныне я даю вам заповедь.

– Какую же именно? – осторожно поинтересовались люди.

– Ну, скажем, «не убий!»...

Египтяне поскребли затылки и ответили:

– Заповедь, конечно, неплохая. Только дал бы ты сначала ее нашим врагам – вавилонянам.

Тогда отправился Господь в Вавилон, но и там не был правильно понят.

Опечалился Вседержитель и призадумался. И тут видит – сидит на горе еврей.

Господь к нему:

– Хочешь заповедь?

Еврей сощурился и спросил:

– А сколько это будет стоить?

– Нисколько, – ответил Господь.

– Если ты это серьезно, – решил еврей, – тогда давай сразу десяток.

♦

Старенький еврей, лет под 90, пришел в церковь к попу на исповедь. И рассказал, что вчера вечером выпил горсть «Виагры» и провел лучшую в своей жизни ночь с тремя молодыми девушками.

– А как часто, сын мой, ты ходишь в церковь? – спрашивает поп.

– Так я еврей, чего мне в нее ходить? – отвечает старик.

– Ну так иди в синагогу исповедаться, в церковь-то зачем заявился? – говорит поп.

– Да я уже и синагоге, и везде был, всем о своей радости рассказал.

♦

Рабинович поменял фамилию на Иванов, а потом на Петров.

Спрашивают:

– Рабинович, зачем вы это сделали?

– Понимаете, где бы я ни говорил, что моя фамилия Иванов, меня спрашивали: «а какая ваша предыдущая фамилия?»

♦

Попадают к немцам в плен француз, русский и еврей.

Немец:

– Мы вас завтра будем расстрелять! Но как благородный нация, выполним ваше последнее желание.

Француз:

Молодую блондинку.

Переночевал, и его расстреляли.

Русский:

Ящик водки.

Ему принесли. Русский сутки пил. Умер от белой горячки.

Еврей:

Ничего не прошу, только дайте перед смертью поесть клубнички.

Немец:

Свинья! Где мы тебе зимой найдем клубнику?

Еврей:

А я не спешу!

♦

Один раввин получил назначение на работу в синагоге на Гаваях. Приехав и заселившись на первое время в гостинице, он, к своему удивлению, обнаружил голую девицу у себя в комнате. Взяв трубку и набрав номер портье, он заорал:

– Как вы смеете! Я ваш новый раввин! А у меня тут голая баба в номере! Я очень вами недоволен и сильно зол...

Услышав это, девица стала одеваться, чтобы уйти. Не отрываясь от трубки, раввин заорал еще громче:

– ...стой ... ты куда?.. это я ими недоволен!!!..

♦

Хохол пришел на еврейскую свадьбу. Выпил горилки и начал шарить глазами по столу в поисках куска сала. Сала нет. Хохол спрашивает:

– Слышь, хлопцы, а где ж сало?

Ему объясняют:

– А сала мы не едим.

Хохол разводит руками:

– Нет, я, конечно, понимаю, что сало – это святое. Но не до такой же степени!

♦

Репетиция «Бориса Годунова» в еврейском театре:

ГОДУНОВ: «Азохен вэй, бояре! Что Шуйского не вижу среди тут?»

РЕЖИССЕР: «Стоп, стоп! Моня, не среди тут, а между здесь! Это будет хоть немножечко по-русски!

♦

Приходит еврей в публичный дом и спрашивает у мамки:

– У вас есть девочки, практикующие еврейский секс?

Та в замешательстве, но, не желая упустить клиента:

– Да, есть, конечно, заходите, устраивайтесь, я сейчас.

Бежит к девушкам, спрашивает:

– Девки, быстро, кто по-еврейски секс знает?

– Да не знаем мы... – хором.

– Ладно, Магда, ты самая опытная – иди ты, придумай чего-нибудь, не упускать же клиента!

Магда ведет еврейского папашу к себе в комнату, закрывает дверь и говорит:

– Слушайте, папаша, как на духу вам говорю: у нас тут никто еврейского секса не знает. Давайте вот что: вы мне быстренько объясните, что это такое, а я вам скидку сделаю, 25%. А?

Еврей:

– Ну вот, вот мы уже им и занимаемся!

♦

Вечером Рабинович нервно ходит перед своим домом, то и дело поглядывая на часы.

– Волнуюсь за свою Сару, – поясняет он соседу.

– А что с ней?

– С ней мой автомобиль...

♦

Едет, значит, один мой приятель со своей подругой в такси по Женеве, ну и болтает с ней по-русски.

Выходит из такси, расплачивается, и тут таксист его спрашивает:

– Простите, вы сейчас с дамой на иврите говорили?

Надо сказать, что приятель этот несколько антисемит, и посему тут же вскипает и помимо всего остального спрашивает таксиста: почему, собственно, он так решил?

Таксист извиняется и отвечает:

– Я тут только что ездил в Израиль, так там все так говорят...

♦

Идет Рабинович по Красной площади и говорит:

– Вот что со страной творится! Голод, разруха, полстраны сидит! И все из-за этого усатого черта!

Услышал его Берия и под белы рученьки – к Сталину.

Сталин:

– Кого ви имели в виду, когда говорили про усатого черта, а!?

Рабинович (с возмущением):

– Как кого?!! Гитлера, конечно!!!

Сталин:

– А ви, Лаврентий Павлович, кого ви имели в виду?

♦

Приходит старый еврей в нотариальную контору.

– Это нотариальная контора?

– Да, конечно.

– Это государственная нотариальная контора?

– Да.

– У вас есть лицензия?

– Да, конечно! Вот на стенке висит!

– С подписями? С печатями? Можно посмотреть?

– Конечно! Смотрите на здоровье...

– Значит, у вас можно составить завещание?

– Конечно можно!

Старый еврей садится, долго что-то пишет, потом поднимает голову от бумаг и спрашивает:

– А «ничего никому» пишется вместе или раздельно?

♦

Встречаются приятели, большие меломаны:

– Фима, в пятницу концерт «Виртуозов Москвы», я достал два билета, пойдешь?

– Нет, не могу, в пятницу у Клеймана концерт...

– Слушай, а кто такой этот Клейман? – изумленно спрашивает друг.

– Да я почем знаю? Просто когда у него концерт, я сплю с его женой

♦

У Абрама в школе спрашивают:

– Какова форма Земли?

– Круглая.

– А как это доказать?

– Пусть будет квадратная, я не настаиваю.

♦

– Сара, не забудь, – хрипит умирающий Рабинович жене, – что Фишман должен нам сто рублей.

– Не беспокойся, не забуду...

– И не забудь, что мы должны Гольдману тридцать рублей.

– Господи! – вздыхает Сара, – снова он бредит.

♦

Приезжает на гастроли в Одессу Георг Отс. Его никто не знает, он решил зайти в типографию и сделать себе рекламу.

Заходит там сидит старый еврей...

– Здравствуйте, мне нужна реклама.

– Кто ви такой, как ваша фамилия?

– Я Георг Отс – оперный певец.

– Ой, у вас такая сложная фамилия, ее таки нужно записать...

– Зачем? Вы знаете слово поц? Откиньте первую букву, получится моя фамилия: Поц – Оц!

– Ой, идите себе отдыхать, таки завтра все будет готово...

На следующее утро Георг Отс вышел прогуляться по Одессе... Видит, по всей Одессе расклеены афиши:

«Дорогие одесситы, сегодня перед вами выступит оперный певец Жора Уй!»

♦

Ой, если бы я был царь, так я бы жил лучше, чем царь! Я бы был себе царь и еще немножко шил.

♦

Рива Кацман пришла в турагентство и говорит:

– Я хочу в Индию!

Все наперебой стали уговаривать:

– Ну что вам делать в Индии. Там жара, духота, вонь, антисанитария. А не дай бог, заболеете, где вы найдете хорошего еврейского доктора? Лучше поезжайте-ка на Канары!

Но Рива была непреклонна:

– Индия!

И вот она в Дели. Рива тут же направляется в храм, где ведет прием Великий Гуру, и узнает, что надо месяц стоять в очереди, чтобы удостоится чести его лицезреть в течение нескольких секунд. Рива терпеливо выстаивает очередь, и… вот оно, счастье, – она в главном святилище! Теперь можно подойти к Великому Гуру и сказать три заветных слова (не больше! За этим следят многочисленные помощники и охранники Гуру!). Рива Кацман приближается к Великому Гуру и говорит:

– Хаим! Немедленно домой!

♦

Исследования показывают: японцы чаще всего сидят на циновках, англичане на стульях, американцы – на диванах, русские – на нарах, а евреи – на чемоданах.

♦

В одесском трамвае:

– Мамаша, скажите своему сыночку, чтобы он меня не передразнивал!

– Изя, немедленно прекрати корчить из себя идиета!

♦

– Здравствуйте, Лазарь Вульфович, как живете-можете?

– Здравствуйте, Соломон Борисович, живем хорошо, можем плохо.

– А что, так плохо выходит?

– Нет, выходит-то как раз хорошо, а вот входит плохо.

♦

На одесской улице один из прохожих неожиданно бьет другого по лицу.

– Вы с ума сошли! За что?

– Ой, простите, я обознался. Думал, что вы – Рабинович.

– А если Рабинович, таки что, можно бить?

– Слушайте, что вы ко мне пристали? Какое вам дело до Рабиновича?!

♦

Еврейское кладбище. В центре хорошо ухоженная могила. На надгробной плите надпись:

«Здесь покоится стоматолог, профессор Исаак Перецман (1915–2001). Если вам нужен хороший зубной врач, то мой сын Лазарь принимает с 8 до 17 на Никитинской, 2».

♦

– Соня, смотрите, сколько птиц у вас в огороде, поставьте пугало!

– Таки зачем мне пугало, я и сама весь день дома.

♦

Умирающий от жажды ползет по пустыне. Вдруг видит – на бархане стоит самый настоящий еврей, с пейсами, в ермолке и протягивает ему бутылку пива. Умирающий из последних сил выдыхает:

– Пиво?

Евреи поводят носами:

– Нет. Здесь определенно чем-то пахнет.

Идут дальше:

– Нравится?

– Нет. Здесь тоже чем-то пахнет.

И так 40 лет…

– А здесь?

– А вот здесь – нормально!

С тех пор у арабов есть нефть, а у евреев и не пахнет.

♦

– Мендель, мой сын просит руки вашей дочери.

– А что, Лазарь, разве у вашего сына нет руки?

– Есть… но она уже устала.

♦

Старый Исаак приходит к Соломону Лифшицу – известному в городке врачу.

– Понимаете, Соломон, всю свою жизнь я очень любил женщин. Блондинок, брюнеток, шатенок...

– Да, Исаак, я вас понимаю, но я не лечу венерические заболевания...

– Нет, Соломон, вы меня не так поняли. Я их любил по-разному, но больше всего мне нравилось их любить в автомобиле. Вы знаете, у меня горбатый «Запорожец», и иногда приходилось принимать такие позы…

– А, я понял, Исаак! Теперь у вас из-за этого радикулит, артроз...

– Ай! Да ничего подобного!

– Таки чего же вы пришли?

– Соломон, вы не одолжите вашу «Волгу» на денек?

♦

– Лазарь, почему ты такой грустный?

– Моя Софа с детьми уезжает к морю на целых три недели!

– Что-то я тебя не понимаю…

– Таки, если я не буду грустным, – она же передумает.

♦

Набор в цирк.

– Что вы умеете?

– Я – акробат, делаю тройное сальто.

– Ну, вы знаете, это многие умеют.

– Но я во время переворотов играю на скрипке.

– Вот это другое дело.

Говорит помощнику:

– Рабинович, посмотрите.

Через некоторое время Рабинович возвращается с артистом.

– Ну как?

Рабинович:

– Ви знаете, я скажу пгямо – это совсем не Ойстрах.

♦

– Роза, сколько лет твоему мерзавцу?

– Уже тринадцать...

– Таки аборт делать уже поздно!

♦

Мендель среди ночи будит Розу и сует ей стакан воды и таблетку.

– Мендель, что это?

– Вот тебе аспирин.

– Зачем? У меня же не болит голова.

– Ага!!! – торжествует Мендель, моментально стягивая с Розы трусы.

♦

Посетитель спрашивает Лихтмана – самого известного в городе адвоката:

– Почему у вас в офисе, висит картина, изображающая сцену из сельской жизни?

– Потому, что она наиболее точно отражает сущность нашей профессии. Присмотритесь повнимательнее: двое мужиков спорят, кому принадлежит корова, один – тянет за рога в одну сторону, другой – за хвост в другую, а третий тем временем спокойно доит эту самую корову. Таки как вы думаете, кто этот третий?

♦

– Лучше поздно, чем никогда! – думал старый еврей, положив голову на рельсы, и глядя вслед уходящему поезду.

♦

– А вот Раечкин муж все в жизни привык доставать по знакомству. Хотите – познакомлю, и он вас достанет.

♦

Что будет, если еврею приснится, что он обедает в ресторане?

Он поспешит проснуться, пока не принесли счет.

♦

Пришел Абрам к дантисту.

– Доктор, сколько стоит удалить зуб мудрости!

– 80 долларов!

– А подешевле можно?

– Ну если без наркоза, то можно и за 60!

– Все равно дорого, а дешевле нельзя!?

– Ну если без наркоза и просто плоскогубцами, то можно и за 40.

– А за двадцать!?

– Ну если без наркоза, пассатижами, да еще и студентом-практикантом, то можно и за 20!

– Хорошо, доктор, запишите мою жену на среду!

♦

– Исаак! Мне сегодня мой шеф сказал, что я просто красавица!

– Ну теперь ты убедилась, что он извращенец?

♦

Июль. Жара. Внуково. Рейс Москва – Одесса. Рейс по непонятным причинам задерживается, самолет уже битый час стоит на летном поле, пассажиры сидят в салоне, тихо матеря весь Аэрофлот и вяло отгоняя назойливых мух и одуревая от духоты. Зато мимо них живенько снуют чем-то озабоченные стюардессы. Потом наконец кто-то из стюардесс громко спрашивает на весь салон:

– Пассажиры! Кто сдавал в багаж лыжи?..

Изумление на лицах.

– Пассажиры! Повторяю: кто сдавал в багаж лыжи?!!

Люди начинают переглядываться и тут замечают мирно дремлющего на месте 13Б субъекта характерной одесской внешности неопределенного возраста.

Стюардесса подходит к нему, осторожно будит:

– Простите, это случайно не вы везете лыжи?..

Субъект, открывая глаза:

– Да... я… а шо такое?!...

– Извините, там такая проблема... Хм.. Мы, кажется, потеряли одну лыжу... но вы, пожалуйста, не волнуйтесь.. мы сейчас ее найдем, не беспо....

– А кто вам таки сказал, шо я везу ДВЕ?!!

♦

Понес какой-то черт еврея в горы. Упал он оттуда, но зацепился за кустик.

Висит и молится: «Господи, помоги!»

Тут открывается в небесах дверка, оттуда Бог:

– Что надо-то?

– Вот сейчас упаду, помоги!

– Еврей?

– Ну!

– Мацу ешь?

– Ем!

– В меня веруешь?

– Верую!

– Ну тогда отпусти руки.

– Так, все ясно. (В дверку на небесах.) Эй! Есть там кто-нибудь еще?!

♦

Подходит проводник и спрашивает:

– Ваши билеты.

– Мы их потеряли.

– В таком случае у вас будут проблемы.

– Ша, люди, вы только послушайте! Мы потеряли билеты, на вокзале у нас украли вещи, Изя отстал от поезда, и вообще мы едем не в ту сторону. И он таки говорит, что у нас будут проблемы!

♦

На международном конкурсе йогов первое место занял товарищ Рабинович, который 73 года живет, затаив дыхание.

♦

«Кресты». Еврея запихивают в камеру.

– Ша-а-а, если вы будете так пихаться, так к вам никто ходить не будет...

♦

Абраму в поликлинике сказали, чтобы он сдал кал на анализ. Наутро он приносит полную трехлитровую банку и дает медсестре.

– А зачем так много?

– Чтобы не говогили, что евгеи жадные!

Медсестра взяла банку и ушла, через полчаса выходит в коридор, смотрит – а там Абрам стоит под стеночкой. Медсестра:

– Вы чего ждете?

– А кто мне баночку отдаст?

♦

Встречаются два еврея:

– Исаак, почему ты такой грустный?

– Меня сняли с должности первого секретаря райкома партии.

– Как же это произошло?

– Да какая-то сволочь донесла, что я беспартийный.

♦

В ресторане появляется плакат – «У нас новое руководство». Постоянный клиент спрашивает у официанта:

– Что, Арон Моисеевич уволился?

– Нет, но он женился.

♦

Изя сидит за прилавком. Пора закрывать лавку, а клиентов все нет. В последнюю минуту вбегает молодой человек, бросает на прилавок гривенник, хватает конверт за копейку и выбегает, не ожидая сдачи. Дома жена спрашивает:

– Ну, какой сегодня был оборот?

– Оборот так себе. Зато доход колоссальный!

♦

На приеме у банкира Гольдберга встречаются бывшие компаньоны, Кац и Кон. Гольдберг:

– Господа, позвольте, я вас представлю друг другу.

Кац (Кону):

– Свинья!

Кон (Кацу):

– Подлец!

Гольдберг:

– А, так вы уже друг друга знаете!

♦

Дряхлый, но богатый банкир Ойзерман женится на молоденькой.

Приходит к врачу и просит:

– Доктор, сделайте, пожалуйста, так, чтобы мое супружество было не только формальным.

Врач осматривает его и говорит:

– Увы, вам уже ничего не поможет.

– А пчелиное молочко?

– Господин Ойзерман, я могу прописать вам пчелиное молоко. Я могу даже сделать так, что вы начнете жужжать. Но жалить – это уж извините!

♦

– Мадам Рабинович, вы уже научили своего Абрашу говорить?

– Да, теперь мы учим его молчать.

♦

Вы знаете, кто придумал поговорку «Семь раз отмерь – дин раз отрежь»?

Это ведь главная заповедь при обрезании.

♦

Банкир Кон вручает бедному еврею конверт со сторублевой бумажкой и говорит:

– Бери и благодари Господа, ибо все делается по воле его!

Узнав об этом, жена бедняка замечает:

– Если Кон по поручению Всевышнего дал нам сто рублей, сколько же он оставил себе за посредничество?

♦

– Мне опять звонили из Израиля...
– Что говорят?
– Говорят: перезвони...

♦

Идет старый еврей по улице и пищит. Другой его спрашивает:
– Что это с тобой?
– Таки лекарство принял.
– Ну и что?
– Таки там написано на коробочке – после приема пищи!

♦

– Вы помните Нухима Спивака? Когда 20 лет назад он приехал в Америку, у него была только пара рваных штанов. Сейчас он имеет миллион!
– Господи! Что будет делать этот ненормальный в Америке с миллионом рваных штанов!??!

♦

Жили рядом атеист и религиозный фанат. Фанат каждый день постоянно молился, а атеист жил припеваючи. У него было все: красивая жена, машина, дети здоровые, а у фаната – наоборот, – сплошные проблемы.

И вот говорит фанат во время очередной молитвы:

– Боже! Ну почему все так несправедливо? Он же даже в тебя не верит, а у него все классно, а я – фанат, каждый день молюсь, и мне ни фига в жизни не везет. Почему???

Голос с неба:

– Сосед твой правильно живет, а ты тут клянчишь что-то каждый день и покоя мне не даешь!

♦

Спорят ксендз, поп и раввин: «Когда начинается жизнь?»

– В момент зачатия, – говорит ксендз.

– В момент рождения, – говорит поп.

– Э, нет, – говорит раввин, – жизнь начинается тогда, когда жена берет с собой детей и уезжает на дачу.

♦

Кошерный ресторан. В витрине выставлено изображение Моисея. Подходит галицинский еврей – и что он видит? Кельнер гладко выбрит (что запрещено правилами еврейского ритуала!).

Еврей недоверчиво спрашивает:
– Здесь действительно соблюдается кошер?
– Конечно, соблюдается, разве вы не видите, что в окне повешен портрет Моисея?
– Прекрасно. Но, честно говоря, я доверял бы вам больше, если бы вы висели в окне, а столики обслуживал Моисей.

♦

Три доказательства, что Христос был евреем:
Во-первых, ему было тридцать три года, а он все еще жил с матерью.
Во-вторых, он верил, что его мать девственница.
И в-третьих, его мать верила, что ее сын – Бог.

♦

Бог диктует Моисею Тору:
– Не вари козленка в молоке матери его…
– Подожди-ка… А, я понял! Это значит: «Не ешь мясное вместе с молочным?»
– Да ты пиши, что я тебе говорю: «Не вари козленка в молоке…»
– Ага, теперь я догадался! Надо иметь отдельную посуду для мяса и молока.
– Послушай, что ты несешь? Я же тебе ясно сказал: «Не вари козленка…»

– Все, ну, теперь я наконец все понял! После мясного, прежде чем есть молочное, надо подождать шесть часов…

– Ладно, делайте что хотите!

♦

Частнопрактикующий врач, отчаявшись получить деньги по счетам постоянного пациента, решил пойти и потребовать долг. Он застал семью за роскошным обедом – как раз резали великолепно приготовленную индейку.

– Мистер Грин, у меня один вопрос: когда вы вернете мне долг?

– Ах, доктор, у меня по-прежнему нет денег. Потерпите еще немного...

– Нет денег? А едите индейку!

– Увы, дорогой доктор, нам стало нечем ее кормить.

♦

Рабинович идет по улице и громко возмущается:

– Вот паразиты! Вот мерзавцы!

Его задерживают и требуют пояснить, кого он имел в виду.

– Конечно, Романовых! Не могли за триста лет наготовить нам продуктов на какие-то там пятьдесят!

♦

Кон, владелец чулочной фабрики, принял на службу молодого коммивояжера.

– Завтра вы выезжаете утренним поездом в Луцк. Там вы отдохнете в гостинице, позавтракаете, выпьете для поднятия духа рюмочку коньяка «Мартель» и отправитесь к нашему старому клиенту Гольдману. Покажете ему полную коллекцию наших чулок, примете заказ и немедленно сообщите мне телеграфом о заключении сделки.

На другой день вечером приходит телеграмма из Луцка: «Во всем городе нет коньяка «Мартель». Что делать?»

♦

Начальник отдела кадров задумчиво смотрит на еврея:

– Вы нам по профилю не подходите.

♦

Изя возвращается домой. Сара ему говорит:

– Наконец-то я выбросила твой старый костюм.

– Ты что, с ума сошла? А в чем же я теперь буду ходить в налоговую инспекцию?!

♦

О соседке, собирающейся в Израиль:

– Подумать только! Она едет в такую даль, когда уже в пятидесяти километрах от Москвы жрать нечего!

♦

Инспектор ОВИРа отговаривает ученого еврея эмигрировать в Израиль:

– Работа у вас хорошая, квартира хорошая, чего же вам еще не хватает?

– Жена настаивает...

– И вы, мужчина, не можете повлиять на жену?

– Родители жены тоже хотят ехать...

– Так пусть они и едут, а вы оставайтесь!

– К сожалению, я единственный еврей в семье...

♦

– А почему Израиль постоянно воюет?

– Да ты просто не представляешь, как надоело изображать из себя скромного интеллигентного мальчика со скрипочкой. А тут есть возможность взять в руки автомат и УБИВАТЬ! УБИВАТЬ!

♦

Один религиозный еврей сидит и изучает Талмуд. Там написано:

«Чем у еврея длиннее борода, тем он глупее».

Еврей глядит в зеркало – борода чуть не до пояса. Задумался. С одной стороны, стыдно с такой бородой по местечку будет ходить. А с другой – тот же Талмуд говорит, что нельзя религиозному еврею бриться. Думал он, думал, наконец взял свечу, опалил себе бороду. И все лицо обжег. Открывает еврей Талмуд на той же странице и пишет на полях свой комментарий: «Проверенно на собственном опыте!»

♦

Абрам первый раз прыгает с парашютом. На прыжок смотрят его жена и сын. Абрам приземляется и лежит, не встает. Жена:

– Сынок, сходи посмотри – дышит ли папа?

Сын, возвращаясь:

– Папа дышит, но около него дышать невозможно.

♦

Абрам пришел домой пораньше и застал Сарочку в постели с мужиком.

– А-а-а-а!!! Убью!!!

– Тихо, тихо, Абраша. Я сдала приезжему полкровати.

– Дура! На эту площадь можно троих поселить!

♦

В купе едут несколько человек и еврей.

Еврей:

– Давайте играть в шарады, вот например, моя фамилия начинается на то, что нам обещали, а заканчивается на то, что получили.

Вдруг встает мужик и показывает присутствующим корочку чекиста и говорит:

– Так, гражданин Райхер, пройдемте.

♦

– Что нужно бедному еврею для счастья?

– Бедных евреев не бывает, есть бедные люди, которые думают, что они евреи.

♦

Сняли новый фильм. Краткое содержание: мужик ползет по пустыне, изнывает от жажды и тут видит апельсин. Только хочет его съесть – идет голая женщина и говорит:

– Дай мне пол-апельсина и делай со мной что хочешь.

Он делится с ней апельсином, и они занимаются любовью. В качестве экспертов пригласили англичанина, француза и еврея. Англичанин:

– Я не знаю, кто была женщина, но мужчина был явно англичанин. Только истинный джентльмен мог, изнывая от жажды, поделиться апельсином в пустыне.

Француз:

– Я не знаю, кто был мужчина, но женщина – явно француженка. Только настоящая француженка могла отдаться за апельсин.

Еврей:

– Я не знаю, кто была женщина, но мужчина был явно еврей. Только еврей мог найти апельсин в пустыне.

♦

Приходит Рабинович к раввину:

– Ребе, происходит нечто ужасное, и я должен с вами посоветоваться.

– В чем дело? – спросил раввин.

– Моя жена добавляет мне в пищу яд!

Удивленный раввин:

– Неужели?! А вы уверены в этом?

– Я точно знаю, – удрученно ответил Рабинович, – я подследил и видел все собственными глазами.

– Ну что ж, – сказал ребе, – я поговорю с ней, и тогда мы снова встретимся.

Через неделю он звонит Рабиновичу:

– Я таки да говорил с вашей женой. Три часа по телефону. Хотите мой совет?

– Да, разумеется!

– Продолжайте принимать яд...

♦

Один предприниматель говорит другому:

– Ну что это за продавцы? Ничего толком продать не могут. Вот у меня был продавец Рабинович... И что ты думаешь, он не только умудрился продать доильный аппарат фермеру, у которого была всего лишь одна корова, но и взял эту корову в залог до полной выплаты рассрочки...

♦

Один еврей встречает другого.

– Хаим, ты где работаешь?

– На доменной фабрике.

– Чугун выплавляете?

– Нет, домино делаем.

– А почему ты не на работе?

– Потому что я работаю вырезателем дырочек.

– Так почему же ты их нс вырезаешь, а по городу болтаешься?

– Я устроился в цех, выпускающий дупель пусто-пусто.

♦

Сара причитает.

– Абрам, ну как ты мог сломать новый стул, как ты мог испортить новую люстру? Нет, мое сердце не выдержит, ты что, не мог повеситься в другом месте?

♦

Пришел Рабинович к сексопатологу. Так, мол, и так – никакой половой жизни.

– А когда вы в последний раз спали с женой?

– Да я уж и не помню. Можно, я ей позвоню и спрошу?.. Алло! Циля, мы когда с тобой в последний раз занимались любовью?

– А кто это говорит?

♦

– Абрам Моисеевич, почему вы хотите уехать? Что вас не устраивает?

– Меня не устраивает ваше отношение к гомосексуализму!

– А какие проблемы, вроде же с этим все спокойно?

– Послушайте, при Сталине за это расстреливали, при Брежневе – принудительно лечили. Сейчас это вошло в норму. Так вот, я таки хочу уехать из этой страны, пока это не стало обязательным!

♦

– Скажите, здесь состоится встреча мужчин, страдающих преждевременной эякуляцией?

– Да, здесь, но она закончилась на час раньше.

♦

Фронт. Под команду «В атаку, ураааaa!» все ринулись вперед, один Рабинович пятится назад. Замполит к нему:

– Ты куда? Расстреляю!

Рабинович:

– Шо вы кричите, я брал разгон!

♦

– Что это у вас маца такая твердая – просто откусить нельзя?

– Всегда вы недовольны! Да если бы эту мацу дали евреям в Египте – они были бы от нее в восторге...

– Конечно, тогда она была еще свежая.

♦

Два еврея беседуют:

– Сема, вы разве не знаете, как вредно курить?! Оставьте лучше мне.

– Абраша, дорогой, мы же с тобой как братья, о чем речь... Пусть я обожгусь, но другу покурить оставлю!

♦

На одесском Привозе:

– Вы не скажете, сколько стоит это мясо?

– Почему не скажу?! Мы же с вами не поссорились.

♦

Турист, прилетев в Израиль и взяв такси в аэропорту, расспрашивает таксиста:

– Скажите, а здесь на самом деле уникальный, оздоравливающий климат?

– Да, безусловно. Когда я здесь появился, я не мог сказать ни слова, у меня на голове не было ни единого волоска. У меня не было сил даже ходить, и меня носили на руках.

– И давно вы здесь?

– Я здесь родился.

♦

Встречаются два еврея.

– Как жизнь?

– Не спрашивай! Дерьмо!

Через год они снова встречаются.

– Ну а теперь как?

– Ты помнишь прошлый год? Так это было повидло!

♦

– Как кризис повлиял на евреев?

– Они стали чаще ходить в гости.

♦

– Рабинович, у вас есть возможность откладывать деньги?

– Возможность есть, денег нет.

♦

– Подскажите, куда лучше всего сейчас вкладывать деньги?

– Сейчас лучше всего вкладывать деньги в кошелек.

♦

Идут два еврея по ночной Одессе. Вдруг из темноты вываливается братва с ножами.

– Деньги, часы, драгоценности – быстро!

Один еврей поворачивается к другому:

– Фима, я тебе должен 300 долларов, отдаю при свидетелях.

♦

– Негодяй, мерзавец, трепач!

– Кто это?

– Да этот жлоб, Поцман!

– Что он натворил?

– Он назвал мою дочь шлюхой! Будь у меня автомат, я влепил бы ему пощечину ногой!

♦

На приеме у еврейского врача:

– Доктор, у меня болит то голова, то задница.

– Пейте эти таблетки, разломав их пополам. Следующий!

– Доктор, я постоянно чего-то боюсь, без видимой причины.

– Сестра, слабительное. Пейте, будет вам причина. Следующий!

– Доктор, у меня кашель.

– Сестра, слабительное. Все, теперь не кашлянете. Следующий!

– Доктор, у меня постоянный понос, в туалет по 10 раз в день бегаю.

– Сестра, слабительное. Теперь не будете бегать, будете там жить. Следующий!

– Доктор, плохо срастается нога после перелома. Постоянно хожу на костылях.

– Сестра, слабительное. Сейчас костыли-ки-то бросите и... побежите. Следующий!

– Доктор у меня запор!

– У меня тоже не шестисотый «Мерседес», но я об этом на каждом углу не кричу! Следующий!

– Доктор, у меня зубы пожелтели!

– В таком случае вам пойдет коричневый галстук… Следующий!

– Доктор, у меня с ногами плохо!

– С ногами хорошо, без ног плохо… Следующий!

♦

Урок в школе:

– Моня, допустим у тебя шесть яблок, половину ты отдал Абраму. Сколько яблок у тебя осталось?

– Пять с половиной.

♦

Врач сказал Рабиновичу, что ему осталось только 30 половых актов, после чего наступит полная импотенция… Рабинович пришел домой и поделился несчастьем с женой.

Та в ужасе:

– Всего 30?! Их надо расходовать бережно. Давай составим график…

– Я уже составил. Тебя в нем нет.

♦

– Сема, как это получается, что Шлемензон взял тебя в компаньоны? У тебя же денег ни гроша!

– Ну да, все правильно: у него есть деньги, зато у меня есть опыт.

– Сема, я тебя умоляю: скоро у тебя будут деньги, а у него – опыт.

♦

Старый еврей сидит на крылечке и умиленно наблюдает за внучком, играющим во дворе:

– Это чудо, шо за мальчик, наш Монечка! Знать бы еще наверняка, что он мой внук…

Его сын, отец мальчишки, услышал эти слова:

– Папа, и как вас, извините, понимать!? Вы что, знаете про мою жену что-нибудь такое?

Старик его успокаивает:

– Да нет, не про твою…

♦

– Рабинович, ви страдаете от жары?

– Я страдаю всегда.

Армянскому радио задают вопрос: «Почему среди евреев так мало строителей домов?»

Ответ: «Потому что, что б евреи ни строили, всегда получается только Стена плача…

♦

– Циля, твой муж бабник! Вчера я сама видела, как он выходил от любовницы.

– Ой, так что ему теперь, там таки безвылазно надо сидеть?!..

♦

Сара говорит мужу:

– Я завтра вечером ухожу жить от тебя к маме!!!

– Так. Помедленнее. Повтори еще раз! Я хочу насладиться музыкой твоих слов.

♦

В парикмахерской:

– Я смотрю, у вас уже почти все волосы покинули свою родину!

– Да, но остальные на что-то надеются!

♦

Приходит еврей в офис компании, предоставляющей услуги сотовой связи, и подает заявление на установку сотового телефона. Оператор спрашивает его:

– Сейчас минутку, все оформим. Как ваша фамилия?

– Либерман.

– Позвольте, но вы же уже пятый телефон в этом месяце покупаете, вы их что, теряете что ли?
– Нет, просто в предыдущих батарейки сели.

♦

– Абрам, а как вы относитесь к построить синагогу в тюрьме? Таки там есть и церкви и мечети уже.
– Ой, Изя, да не смешите, если еврей в тюрьме, то это не еврей, пусть идет в церковь.

♦

Одесса. Привоз.
– Почем ваша скумбрия? – спрашивает нараспев, растягивая слова, покупательница.
– Пятьдесят гривен за килограмм.
– Дорого.
– Если дорого – так снимайте платье, кидайтесь у море и ловите сами, так вам будет бесплатно.

♦

Разговаривают два еврея европейской внешности:
– Может быть, мне купить новую расческу? У старой сломался зуб.
– Ты расточитель! Из-за одного сломанного зуба покупать новую расческу!
– Да, но этот последний!

♦

– Мне нужна ваша помощь, – обращается пациент к психоаналитику.

– Кто вы по профессии?

– Я психоаналитик.

– Так попробуйте сами себе помочь!

– Видите ли, мои услуги ооочень дорогие!

♦

– Послушайте, но это молоко – чистая вода! – возмущается покупатель.

– Да, вчера был дождь, и коровы, очевидно, намокли.

♦

– Приятель, одолжи мне 300 долларов до получки.

– А когда получка?

– Откуда я знаю? Ведь это ты работаешь, а не я.

♦

– Изя, дай штуку взаймы.

– Только после возвращения из Парижа.

– Ты едешь во Францию?

– И не думал.

♦

Абрам:

– Изя, правда, что ты выдал дочь за своего кассира?

Изя:

– Чистая правда.

Абрам:

– Но ведь ты же ему не доверял.

Изя:

– Я и сейчас не доверяю, но теперь украденные у меня деньги он будет приносить обратно к моей дочери.

♦

На пляже семейная парочка

Сара:

– Абраша, давай купим мне новый купальник!

Абрам:

– Сарочка, ну что ты? Купальник твоей прабабушки на тебе неплохо смотрится, и потом зачем менять купальник только из-за того, что у него мааааленькая дырочка на коленке?

♦

Только в Одессе могут на вопрос – «скажите, где здесь туалет?» ответить вопросом: «А вам таки зачем?»

♦

Стюардесса с большой грудью и глубоким декольте наклоняется к Рабиновичу:

– Вам чай или кофе?

– А в какой из них что?

♦

– Представляете, Роза Марковна, вчера у моего мужа выскочил чирей!

– Что, на самом деле?

– Нет, рядом…

♦

Супруга Рабиновича на смертном одре признается:

– Не могу унести эту тайну с собой в могилу. Знай же: Исаак – не твой сын!

– Чушь! От кого же он может быть?!

– От нашего конторщика Гиршфельда.

– Не верю ни одному твоему слову! Такой красавчик, как Гиршфельд, и такая лахудра, как ты...

– Я заплатила ему две тысячи баксов.

– И где же ты взяла столько денег?

– Из твоей кассы.

– Ну вот я и говорю: Исаак – мой сын!

♦

– Сарочка, теперь мы будем жить в дорогой квартире, как ты и хотела!

– Ой, Абрамчик, как я рада! Мы покупаем квартиру?

– Нет, нам повысили квартплату...

♦

– Моня, что у тебя жена просила на Новый год?

– Ей хотелось что-нибудь для запястья или шеи...

– О! Ты таки подарил ей колье или браслет?

– Нет, кусочек ароматного мыла...

♦

– Абрам! Кто это укусил вас за нос?

– Я сам укусил себя за нос!

– Как же вы достали?

– Большое дело, встал на стул.

♦

Одесса. Старый еврей идет по улице мимо городской тюрьмы и видит лицо своего соседа за решеткой.

– Абрам, что ты здесь делаешь?
– Сижу...
– А что тебе дают кушать?
– Хлеб и воду...
– Ты не мог кушать это дома?!

♦

Врач:
– Ну-с, батенька, как вы слышите с новым слуховым аппаратом?
– Много лучше, доктор. Я уже три раза менял завещание!

♦

Одесса. Трамвай приближается к вокзальной площади и останавливается, не доезжая до здания вокзала несколько сотен метров. В трамвае в сомнениях мечется приезжий с чемоданом. Наконец, он обращается к сидящему рядом одесситу:
– Скажите, это вокзал?
– Таки нет, это трамвай.

♦

– Ты слышал, Рабинович бросил курить?
– Не может быть, я не верю!
– Тем не менее это правда! Он свою последнюю сигарету потушил о бензоколонку!

♦

– Представляешь, Сара дала в газету объявление: «Зрелая женщина готова внести тепло и свет в твою жизнь».

– И что, много предложений?

– Только одно. От местной электростанции!

♦

Тонет пароход. Все бегают и кричат. На корме сидят два еврея. Один поддался панике и тоже бегает и кричит. А второй ему говорит спокойненько:

– Абрам, ну что ты кричишь, ну что ты кричишь, это что таки твой пароход?

♦

Из персональных еврейских объявлений:

Мужчина-еврей, разведенный, познакомится с девушкой-женщиной, чтобы вместе посещать Ешиву, праздновать еврейские праздники, отведывать бармицву и т.д. Религиозная принадлежность не играет роли...

♦

У Рабиновича не было врагов. Зато его ненавидели его друзья.

♦

– Соломон, зачем вы избили свою жену?

– Я ее не бил, я просто пытался до нее достучаться!

♦

Закончилось торжество в еврейской семье. Осталось много выпивки и закуски. Сара утром ушла на работу. Приходит вечером. Ничего нет. Только пьяный муж.

– Где водка? Где салаты и все прочее?..

– А ты что думала, ты – ушла, и жизнь после этого остановилась?

♦

– Мойша!

– Ну че тебе?

– А ты, если бы женщиной был, в «Плэйбое» голым снялся бы?

– Ну это смотря сколько заплатили бы.

– Вот сволочь! Все вы бабы такие!

♦

Маленький Изя спрашивает у матери:

– Мама, а как мы появились на свет?

– Нас сотворил Господь.

– А папа сказал, что мы произошли от обезьян.

– Ну просто я тебе про своих родственников рассказываю, а он про своих.

♦

Абрам, игриво:
– И в кого ж это наш сынишка такой красивый? Неужели в меня?
Сара задумчиво:
– Не исключено.

♦

Стоит Абрам на подоконнике 9-го этажа:
– Я сейчас выброшусь!!!
Циля:
– Дурак, я тебе рога наставила, а не крылья!

Таки
еврЭйский
анекдот

Редактор и корректор Е. Артемьева
Дизайн и верстка К. Плотникова

Подписано в печать 10.01.2014
Формат 70х108/32. Усл. печ. л. – 21
Бумага газетная.
Тираж 3000 экз. Заказ № 2138.

Отпечатано с готовых файлов заказчика
в ОАО «Первая Образцовая типография»,
филиал «УЛЬЯНОВСКИЙ ДОМ ПЕЧАТИ»
432980, г. Ульяновск, ул. Гончарова, 14

ЗАО «СВР-Медиапроекты»
125167, Москва, Авиационный пер., д.4а
http:/www. argumenti.ru